Charles Pépin e[illegible] philosophe. Il a notamment publié [illegible] Allary Éditions un roman, *La Joie*, et une trilogie d'essais philosophiques : *Les Vertus de l'échec*, *La Confiance en soi*, *La Rencontre*. Il est l'auteur du podcast « Une philosophie pratique » (Spotify) et, avec Jul, des bandes dessinées *La Planète des sages* et *Cinquante Nuances de Grecs* parues chez Dargaud.

Retrouvez toute l'actualité de l'auteur sur :
www.charlespepin.fr

LES VERTUS DE L'ÉCHEC

ÉGALEMENT CHEZ POCKET

LES VERTUS DE L'ECHEC

LA CONFIANCE EN SOI, UNE PHILOSOPHIE

CHARLES PÉPIN

LES VERTUS DE L'ÉCHEC

ALLARY ÉDITIONS

Pocket, une marque d'Univers Poche,
est un éditeur qui s'engage pour la préservation
de son environnement et qui utilise du papier fabriqué
à partir de bois provenant de forêts gérées
de manière responsable.

ISBN : 978-2-266-28542-1
Dépôt légal : septembre 2018

Introduction

Qu'ont en commun Charles de Gaulle, Steve Jobs et Serge Gainsbourg ? Qu'est-ce qui rapproche J.K. Rowling, Charles Darwin et Roger Federer, ou encore Winston Churchill, Thomas Edison ou Barbara ?

Ils ont tous connu des succès éclatants ? Oui, mais pas seulement. Ils ont échoué avant de réussir. Mieux : c'est parce qu'ils ont échoué qu'ils ont réussi. Sans cette résistance du réel, sans cette adversité, sans toutes les occasions de réfléchir ou de rebondir que leurs ratés leur ont offertes, ils n'auraient pu s'accomplir comme ils l'ont fait.

Du début de la Première Guerre mondiale au cœur de la Seconde, Charles de Gaulle a enduré près de trente ans de déconvenues. Mais c'est à leur contact qu'il a affirmé son caractère et pris la mesure de son désir : faire vivre « une certaine idée de la France ». Lorsque le vent de l'Histoire a enfin tourné, il était prêt. Ses échecs l'avaient endurci, l'avaient préparé au combat.

Thomas Edison a échoué tant de fois avant d'inventer l'ampoule électrique qu'un de ses collaborateurs lui a demandé comment il pouvait supporter autant d'échecs, « des milliers d'"échecs" ». « *Je n'ai pas échoué des milliers de fois, j'ai réussi des milliers de tentatives qui n'ont pas fonctionné* », a répondu l'inventeur. Thomas Edison savait qu'un scientifique n'apprend qu'en se trompant, que chaque erreur rectifiée est un pas de plus vers la vérité.

Serge Gainsbourg a vécu comme un drame l'abandon de la carrière de peintre à laquelle il se destinait. C'est avec le goût de l'échec dans la bouche qu'il s'est tourné vers cet art mineur qu'était pour lui la chanson. Mais c'est précisément ce qui l'a délivré de la pression qu'il s'infligeait en tant que peintre. Son talent d'auteur et d'interprète, la « patte » Gainsbourg, est inséparable de ce relâchement, qui est lui-même un enfant de l'échec.

Difficile d'imaginer aujourd'hui, lorsque nous voyons Roger Federer jouer au tennis, les échecs qu'il endura adolescent, les colères qui le submergeaient. Il n'était pas rare de le voir jeter sa raquette de rage. Or, c'est durant ces années que s'est construit celui qui allait devenir le meilleur joueur de tous les temps. Sans cette somme de duels perdus et de moments d'abattement, il ne serait pas resté aussi longtemps numéro un mondial par la suite. Son fair-play légendaire, son élégance « facile » n'ont rien d'inné : ils ont été conquis et n'en sont que plus beaux.

Charles Darwin a abandonné successivement ses études de médecine et de théologie. Il a alors embarqué pour ce voyage au long cours sur le *Beagle* qui décidera de sa vocation de découvreur. Sans ses échecs d'étudiant, il n'aurait jamais été disponible pour ce voyage qui changera sa vie, et accessoirement l'idée même que nous nous faisons de notre humanité.

Au début, Barbara a vu les portes des cabarets se fermer devant elle. Lorsqu'elle eut le droit de s'y produire, elle devait souvent chanter sous les sifflets. En l'entendant interpréter certains des titres sublimes qu'elle composera plus tard, nous sentons une force de vie et une empathie qui doivent beaucoup à ces humiliations. Enlever les échecs dans le parcours de Barbara, ce serait enlever les plus belles chansons de son répertoire.

Ces quelques exemples le suggèrent déjà : il n'y a pas une vertu de l'échec, mais plusieurs.

Il y a les échecs qui induisent une insistance de la volonté, et ceux qui en permettent le relâchement ; les échecs qui nous donnent la force de persévérer dans la même voie, et ceux qui nous donnent l'élan pour en changer.

Il y a les échecs qui nous rendent plus combatifs, ceux qui nous rendent plus sages, et puis il y a ceux qui nous rendent simplement disponibles pour autre chose.

L'échec est au cœur de nos vies, de nos angoisses et de nos réussites. Bizarrement, ce sujet est pourtant peu traité par les philosophes. Lorsque j'ai commencé à travailler dessus, je suis allé chercher ce qu'en disaient les grands anciens. Quelle n'a pas été alors ma surprise de découvrir leur peu d'intérêt pour cette question. Eux si prompts à réfléchir sur l'idéal et le réel, sur la « vie bonne » et la lutte contre les peurs, sur la différence entre ce que nous voulons et ce que nous pouvons, ils auraient dû écrire des sommes entières sur l'échec, des méditations inspirées sur ce sentiment. Tel n'est pas le cas. Il n'existe aucun ouvrage de philosophie majeur sur cette notion. Pas de dialogue de Platon sur la sagesse de l'échec. Pas de discours cartésien sur la vertu de l'échec. Pas de traité hégélien sur la dialectique de l'échec. La chose est d'autant plus troublante que le ratage semble entretenir une relation privilégiée avec notre aventure humaine.

À l'occasion des conférences que je donne, je rencontre beaucoup d'entrepreneurs ou de salariés blessés par des dépôts de bilan, des licenciements, des opportunités manquées. Dans certains cas, ils ont traversé l'enfance, l'adolescence, les études, un début de vie professionnelle, sans connaître le sentiment de l'échec. Je remarque que ce sont eux qui ont le plus de mal à se relever.

Professeur de philosophie au lycée, j'observe souvent des élèves meurtris par leurs mauvaises notes. Visiblement, on ne leur a jamais dit qu'un humain peut échouer. La phrase est pourtant simple : nous pouvons échouer. Elle est simple, mais je crois qu'elle contient quelque chose de notre vérité. Les animaux ne peuvent échouer car tout ce qu'ils font est dicté par leur instinct : ils n'ont qu'à obéir à leur nature pour ne pas se tromper. Chaque fois que l'oiseau construit son nid, il le fait à la perfection. Il sait, d'instinct, ce qu'il a à faire. Il n'a pas à tirer de leçons de ses échecs. En nous trompant, en échouant, nous manifestons notre vérité d'homme : nous ne sommes ni des animaux déterminés par leurs instincts, ni des machines parfaitement programmées, ni des dieux. Nous pouvons échouer parce que nous sommes des hommes et parce que nous sommes libres : libres de nous tromper, libres de nous corriger, libres de progresser.

Le thème de l'échec affleure quand même parfois chez les philosophes. Il n'est jamais très loin chez les stoïciens de l'Antiquité, qui nous enseignent une sagesse de l'acceptation et nous apprennent à ne pas ajouter un second mal au premier. On le devine chez Nietzsche lorsqu'il écrit par exemple : « *Plus d'un qui ne peut se libérer de ses propres chaînes a su néanmoins en libérer son ami.* » Il est implicite dans les écrits existentialistes de Sartre : si, toute notre vie, nous pouvons *devenir*, si, comme l'écrit Sartre, nous ne sommes pas enfermés dans une *essence*, c'est que l'échec peut avoir la vertu de nous porter vers cet avenir, de nous aider à nous réinventer. Il est plus explicite chez Bachelard lorsqu'il définit le génie comme celui qui a le courage de faire « *une psychanalyse de ses erreurs initiales* ». C'est donc de ces philosophes-là que nous partirons. Mais cela ne sera pas suffisant. Il nous faudra chercher ailleurs cette sagesse de l'échec qu'ils ne font qu'esquisser : dans les écrits des artistes ou l'expérience des psychanalystes, dans les textes sacrés ou les mémoires des grands hommes, dans la réflexion si inspirante d'un Miles Davis, les leçons de vie d'un André Agassi ou la poésie lumineuse d'un Rudyard Kipling.

1

L'échec pour apprendre plus vite
– le problème français –

Nous sommes en France, à Tarbes, au cœur de l'hiver 1999. Le jeune Espagnol a 13 ans. Il vient de perdre la demi-finale du tournoi de tennis des Petits As, le championnat du monde officieux des 12/14 ans. Le Français qui l'a battu, et qui remportera le tournoi, est né la même année que lui et fait exactement la même taille. Pourtant, il l'a facilement dominé. Ce jeune prodige s'appelle Richard Gasquet : « *le petit Mozart du tennis français* ». Les spécialistes affirment que jamais aucun joueur n'a atteint une telle maîtrise à cet âge. À 9 ans, il faisait déjà la une de *Tennis Magazine*, qui titrait « *Le champion que la France attend* ». Ses gestes parfaits, la beauté de son revers à une main, l'agressivité de son jeu furent pour son adversaire autant de blessures narcissiques. Après avoir serré la main de Richard Gasquet, l'adolescent majorquain se laisse tomber sur sa chaise, sonné. Il s'appelle Rafael Nadal.

Ce jour-là, Rafael Nadal a échoué à devenir champion du monde de sa classe d'âge. Quiconque regarde ce match aujourd'hui (disponible sur YouTube) est frappé par l'agressivité du jeu de Richard Gasquet : il prend la balle très tôt, et son adversaire de court. Or, cette manière d'entrer dans la balle avec une agressivité maximale évoque étrangement ce qui fera le succès de Rafael Nadal, qui sera par la suite numéro un mondial et le restera des années, remportant soixante tournois, dont douze titres du Grand Chelem. Richard Gasquet est devenu un très grand joueur – il a atteint la septième place mondiale. Mais il n'a à ce jour remporté aucun tournoi du Grand Chelem. Et n'a gagné en tout que neuf titres. Quels que soient ses exploits futurs, sa carrière ne pourra plus égaler celle de Rafael Nadal. La question se pose donc : où s'est jouée la différence ?

Revenir sur le parcours de Rafael Nadal peut nous fournir un élément de réponse. Jeune, il a connu beaucoup d'échecs : des matchs perdus, et une incapacité à maîtriser la technique du coup droit classique qui l'a contraint à développer ce coup droit non conforme, sa raquette partant en hauteur après la frappe, tel un lasso, dans un geste improbable qui est devenu sa signature. Après sa défaite contre Richard Gasquet, ils se rencontreront à quatorze reprises. Rafael Nadal remportera les quatorze matchs. Sans doute, après ce match, Rafael Nadal s'est davantage intéressé à son jeu, et l'a analysé en profondeur avec son oncle et entraîneur Tony Nadal. Sans doute a-t-il ce jour-là, à Tarbes, plus appris en perdant que s'il avait gagné. Peut-être même a-t-il appris, en une seule défaite, ce que dix victoires n'auraient pu lui apprendre. Il n'est pas impossible qu'il ait pris la mesure de l'agressivité dont il était capable, au moment même où il était victime de celle de Richard Gasquet. Ma conviction est que Rafael Nadal a eu besoin de cette défaite pour se rapprocher plus vite de son propre talent. L'année d'après, il remportera d'ailleurs le tournoi des Petits As.

C'est peut-être là, justement, qu'est le problème de Richard Gasquet : de ses premiers pas sur un court de tennis jusqu'à ses 16 ans, il a enchaîné les succès avec une facilité déconcertante. Et s'il n'avait, durant ses précieuses années de formation, pas suffisamment échoué ? Et s'il avait commencé à échouer… trop tard ? Et si, ne rencontrant quasiment pas l'échec, il avait manqué de cette expérience du réel qui résiste, et qui nous conduit à le questionner, à l'analyser, à nous étonner devant son étrange tessiture ? Les succès sont agréables, mais ils sont souvent moins riches d'enseignement que les échecs.

Il est des victoires qui ne se remportent qu'en perdant des batailles – énoncé paradoxal mais qui, je crois, contient quelque chose du secret de l'existence humaine. Hâtons-nous donc d'échouer, car alors nous rencontrons le réel plus encore que dans le succès. Parce qu'il nous résiste, nous le soumettons à la question ; nous le regardons sous tous les angles. Parce qu'il nous résiste, nous y trouvons un appui pour prendre notre élan.

Étudiant la manière dont les créateurs de start-up savent rebondir, certains théoriciens américains de la Sillicon Valley vantent le « *fail fast* » – « échouer vite » – et même le « *fail fast, learn fast* » – échouer vite, apprendre vite –, pour souligner le caractère vertueux de ces échecs rencontrés tôt. Durant les années de formation, l'esprit est avide d'apprendre, capable de tirer instantanément des leçons de ce qui lui résiste. Ils montrent que les entrepreneurs ayant échoué tôt, et ayant su tirer rapidement des enseignements de ces échecs, réussissent mieux – et surtout plus vite – que ceux qui connaissent des parcours sans accrocs. Ils insistent sur la force de ces expériences qui, même ratées, font progresser plus vite que les meilleures théories.

S'ils disent vrai, nous comprenons ce qui manque à tous ces bons élèves, sérieux et réguliers, qui débarquent sur le marché du travail sans avoir jamais trébuché. Qu'ont-ils donc appris en se contentant de suivre la norme, d'appliquer avec succès les consignes ? Ne leur manquera-t-il pas ce sens du rebond, cette réactivité si décisive dans notre monde en mutation ?

Mon métier de professeur de philosophie m'a souvent donné l'occasion de mesurer la vertu des échecs précoces, leur capacité à faire réussir plus vite.

En début d'année de terminale, la philosophie est une matière nouvelle. Les élèves sont invités à réfléchir par eux-mêmes comme jamais auparavant, à prendre une liberté inédite avec leurs connaissances, à oser reprendre à leur charge les questionnements les plus immenses de l'existence. Avec le recul que me donnent vingt d'ans d'enseignement de la philosophie, je peux affirmer qu'il est souvent préférable de rater en beauté son premier devoir de philosophie que de s'en sortir avec une note moyenne, mais sans s'interroger. Cette mauvaise note inaugurale permet de prendre la mesure du changement radical demandé. Mieux vaut échouer vite et se poser les vraies questions que réussir sans comprendre pourquoi : les progrès seront ensuite plus rapides. Dès lors que cet échec est accueilli et questionné dans la foulée, l'entrée en philosophie se fait plus aisément par l'échec que par le succès.

J'ai enseigné longtemps la philosophie, rebaptisée pour l'occasion « culture générale », durant des stages d'été de préparation au concours de Sciences Po. Ces sessions intensives accueillaient les élèves tout justes bacheliers, dans le vaste parc fleuri du lycée Lakanal de Sceaux. Elles commençaient mi-juillet et duraient cinq semaines, les concours ayant lieu fin août-début septembre. J'y ai observé le même phénomène, mais en accéléré. Bien souvent, ceux qui commençaient le stage d'été avec des notes correctes échouaient, à la fin de l'été à entrer à Sciences Po. En revanche, parmi ceux qui obtenaient en tout début de stage quelques notes vraiment désastreuses, beaucoup réussissaient brillamment, cinq semaines plus tard, à intégrer l'école de la rue Saint-Guillaume. À l'occasion de cet échec, de cette « crise » initiale, ils avaient eu la chance de rencontrer la réalité nouvelle qui les attendait, là où ceux qui avaient obtenu des notes moyennes au début du stage ne s'étaient rendu compte de rien.

Ils avaient été éveillés par leur échec quand les autres avaient été endormis par leur petit succès. Une échelle assez courte – cinq semaines –, suffisait donc à montrer qu'un échec accepté peut se révéler plus profitable qu'une absence d'échec. Mieux vaut un échec rapide, et rapidement rectifié, que pas d'échec du tout.

Si cette vision des choses peut sembler évidente, elle est très minoritaire en France. Lorsque les théoriciens américains ont conceptualisé le « *fast fail* », la vertu de l'échec rapide, c'était en l'opposant à ce qu'ils nommaient le « *fast track* », l'idée selon laquelle il serait décisif de réussir vite, de se placer le plus tôt possible sur les rails (« *track* ») du succès. À bien des égards, c'est notre manière française de concevoir la réussite qui est ici visée. Nous semblons en effet malades de cette idéologie du « *fast track* ».

Aux États-Unis mais aussi au Royaume-Uni, en Finlande ou en Norvège, les entrepreneurs, les figures politiques ou les sportifs aiment mettre en avant les échecs rencontrés au début de leurs carrières, et qu'ils arborent fièrement, comme des guerriers leurs cicatrices. Dans ce vieux pays qu'est la France, nous nous définissons au contraire toute notre vie par les diplômes obtenus quand nous vivions encore chez nos parents.

À l'occasion de mes interventions en entreprises, je rencontre souvent des cadres ou dirigeants qui se présentent comme « HEC 76 », « ENA 89 » ou « X 80 » – il faut entendre diplômés de HEC en 1976, de l'ENA en 1989 ou de Polytechnique en 1980. J'en suis chaque fois surpris. Le message implicite est clair :

« Le diplôme que j'ai réussi à 20 ans me donne à vie une identité et une valeur. » C'est le contraire du « *fail fast* » : il s'agit non pas de rater vite, mais bien de réussir vite ! Comme s'il était possible, et souhaitable, de se mettre une fois pour toutes à l'abri du risque, de s'installer sur les rails d'une carrière tracée et de se définir, toute son existence, par un succès obtenu à 20 ans. Comment ne pas voir dans cette obsession des diplômes obtenus jeunes une peur de la vie, de ce réel qu'heureusement nous ne cessons de rencontrer, et que l'échec nous permet souvent de rencontrer plus rapidement ? Les parcours respectifs de Richard Gasquet et Rafael Nadal semblent en tout cas confirmer qu'il vaut mieux parfois sortir des rails du succès, et en sortir tôt. Ce sera d'ailleurs aussi l'occasion d'éprouver sa capacité de résistance. C'est en effet une autre vertu de l'échec : il faut avoir déjà échoué pour savoir qu'on s'en relève. Alors autant commencer tôt.

Même dans l'éducation nationale, on retrouve les effets pervers de cette idéologie délétère du « *fast track* ». Les professeurs y sont divisés en deux catégories. S'ils ont échoué à l'agrégation et n'ont obtenu que le Capes, ils enseignent 18 heures par semaine. S'ils ont réussi l'agrégation, ils enseignent 14 heures par semaine, tout en étant mieux payés. Et cet écart ne fera que s'accroître tout au long de leur carrière. C'est peu de dire que nous sommes loin du « *fast fail* »… Ceux qui ont raté l'agrégation à 22 ans vont le payer jusqu'à la fin de leurs jours en travaillant plus pour une rémunération moindre. Ce système est absurde et nie la valeur même de l'expérience.

Logiquement, c'est dans cette même France que les élèves sont sommés de savoir ce qu'ils veulent faire comme études dès la classe de seconde, et angoissés à l'idée que le choix de leur section de première leur fermera des portes. Ils n'ont même pas 16 ans et on les met déjà en garde contre une erreur d'aiguillage. Il vaudrait mieux les rassurer et leur dire qu'on trouve parfois sa voie plus vite en commençant par se tromper, qu'il est des échecs qui font avancer plus rapidement que des succès. Il vaudrait mieux leur parler de ce jour où Nadal a gagné en perdant contre Gasquet. Ou leur raconter la manière dont les professeurs sélectionnent les candidats à la faculté de médecine de Boston. Comme les élèves aspirant à « faire médecine » sont trop nombreux, et trop nombreux à présenter en apparence toutes les qualités requises, les professeurs privilégient les candidats… ayant déjà connu des échecs. Parmi les étudiants les plus recherchés : ceux qui ont entrepris d'autres études avant de prendre conscience de leur méprise, et de se décider à « faire » médecine. Les professeurs considèrent en effet que ces erreurs d'orientation permettent de grandir plus vite, de se rapprocher plus rapidement de sa vocation – bref, de mieux se connaître. Plus simplement, ils réduisent aussi le risque de recruter des élèves qui vont se rendre compte au bout de quelques mois qu'ils ne veulent plus devenir médecins : ils ont déjà changé de voie une fois, il est moins probable qu'ils en changent une seconde fois.

Les lycéens et les étudiants ne sont pas les seuls à souffrir de cette idéologie hexagonale du « *fast track* ». Faire faillite, pour un entrepreneur français, est un handicap difficile à surmonter. La plupart du temps, il sera stigmatisé et aura un mal fou à financer un nouveau projet. Aux États-Unis, dans la culture du « *fail fast* », son échec, s'il sait en parler, sera vu comme une expérience, une preuve de maturité, l'assurance qu'il y a au moins un type d'erreurs qu'il ne refera pas. Il pourra même se voir accorder un crédit plus facilement que s'il n'avait pas échoué. En France, c'est le contraire. Jusqu'en 2013 existait un fichier à la Banque de France – le fichier 040 – répertoriant les entrepreneurs ayant connu une liquidation judiciaire. Y être inscrit, c'était être marqué au fer rouge, avoir la certitude de ne trouver aucun financement pour un nouveau projet. Une loi y a heureusement mis fin, mais les réticences des banquiers ou des investisseurs demeurent.

Avoir échoué, en France, c'est être coupable. Aux États-Unis, c'est être audacieux. Avoir échoué jeune, en France, c'est avoir échoué à se mettre sur les bons rails. Aux États-Unis, c'est avoir commencé jeune à chercher sa propre voie.

Finalement, ce que révèle ce problème français, c'est que nous accordons trop d'importance à la raison, à ces diplômes qui viennent sanctionner le triomphe de la raison, et pas assez à l'expérience. Enfants de Platon et de Descartes, nous sommes trop rationalistes et pas assez empiristes. Ce n'est pas un hasard si la plupart des philosophes empiristes sont anglo-saxons : John Locke, David Hume, Ralph Waldo Emerson… Tout ce que nous savons, disait en substance David Hume, nous le savons d'expérience. « *La vie est une expérience, plus on fait d'expériences, mieux c'est* », reprendra l'Américain Emerson quelques siècles plus tard.

Or, l'expérience de l'échec est l'expérience de la vie même. Dans l'ivresse du succès, nous avons souvent l'impression de flotter. Nous l'affirmons volontiers : nous ne « réalisons » pas. Dans l'échec, au contraire, nous nous heurtons à une réalité que nous ne connaissions pas, et qui nous heurte. Ce qui nous surprend, nous saisit, et que la théorie ne peut circonscrire : n'est-ce pas là une définition de la vie ? Plus vite nous échouons, plus tôt nous la questionnons. C'est la condition de la réussite.

2

L’erreur comme seul moyen de comprendre
– *une lecture épistémologique* –

« *La vérité n’est jamais qu’une erreur rectifiée.* »

GASTON BACHELARD

Le philosophe et poète Bachelard définit ainsi le savant : celui qui sait reconnaître son erreur initiale et trouver la force de la rectifier.

Selon lui, les grands scientifiques sont comme nous : ils commencent par se tromper, par se faire des idées fausses sur les choses. Ainsi, ils ont pu croire qu’une éponge « éponge » ; ou qu’un morceau de bois « flotte ». Mais ce qui en fait des scientifiques, c’est qu’ils ne se sont pas arrêtés à ces premières croyances. Ils ont mis au point des expériences pour tester leur validité, et ont ensuite eu ce courage très particulier de rectifier leur erreur initiale au contact du réel, des lois de la nature. Ils ont ainsi compris que l’éponge « n’éponge » rien du tout : ce sont les gouttes d’eau alentour qui s’immiscent dans toutes ses cavités.

De même, le morceau de bois n'est pas acteur de sa flottaison : elle n'est que le résultat du rapport entre sa masse et le volume d'eau déplacé, défini par la poussée d'Archimède. D'où cette conclusion radicale de Bachelard : « *La vérité n'est jamais qu'une erreur rectifiée.* »

Dans son ouvrage *La Formation de l'esprit scientifique,* il relit toute l'histoire de la science et montre qu'il n'est aucun savant qui ne parvienne à une vérité sans être d'abord passé par la case erreur. Comme dans les coups gagnants au billard français, le chemin vers la vérité ne peut être direct. Nos intuitions premières sont trop naïves pour nous dévoiler les lois de la nature. Elles montrent comment marche notre esprit, non comment fonctionne le monde. Il nous faut donc constater l'échec de ces intuitions premières pour nous rapprocher de la vérité. Il faut, écrit-il, savoir « *désorganiser le complexe impur des intuitions premières* », ce qui demande effort et courage. Mais cette erreur rectifiée est comme un tremplin : elle joue un rôle d'impulsion dans la dynamique qui conduit au savoir. L'erreur ne permet plus simplement d'apprendre plus vite : l'erreur rectifiée devient, pour le savant, le seul moyen d'apprendre, le seul chemin pour découvrir la vérité. Un savant qui ne rencontre pas de problème, qui ne se heurte pas à l'échec de sa première intuition, ne trouvera jamais rien.

Thomas Edison, le fondateur de General Electric, a déposé dans sa vie plus de mille brevets. Il a inventé aussi bien le phonographe que l'appareil qui rendra possible le cinéma. Mais avant tout cela, durant l'année 1878, il a passé des nuits entières dans son atelier du New Jersey à essayer d'inventer l'ampoule électrique. Obsédé par sa quête, dormant quatre heures par nuit, il essaya des milliers de fois de porter à incandescence, dans une ampoule remplie de gaz, un filament de tungstène. Pourquoi n'a-t-il pas désespéré ? À quoi s'est-il accroché pour continuer à essayer ? On répond souvent à ces interrogations en mettant en avant la force exceptionnelle de sa volonté, comme si la clef de son succès résidait simplement dans l'acharnement. C'est oublier l'essentiel : Thomas Edison était fasciné par tout ce que ces échecs lui apprenaient des lois de la nature. Il savait qu'il fallait échouer pour réussir ensuite, que jamais aucun savant n'avait aperçu une vérité au premier coup d'œil. Finalement, Thomas Edison réussit à faire fonctionner la première ampoule électrique. Le secret de son inventivité sidérante réside dans son rapport au réel. Jamais il ne le conçut comme une simple pâte à modeler, comme une occasion d'exprimer sa puissance. Il le voyait au contraire comme une matière à questionner, une énigme à interroger, une source inépuisable d'émerveillement.

Son attitude nous montre comment nous pouvons changer de regard sur l'échec. Même quand le filament de tungstène reste de marbre, Thomas Edison n'« échoue » pas : il réussit à essayer. Il persévère dans sa curiosité. Il sait que la seule manière de s'approcher de la vérité est d'échouer d'abord à la comprendre.

« *Une très grande série de succès ne prouve aucune vérité, quand l'échec d'une seule vérification expérimentale prouve que c'est faux* », a dit Albert Einstein de manière lumineuse. Qu'une théorie soit vérifiée par une expérience ne prouve pas qu'elle est vraie : l'expérience qui l'invalidera n'a peut-être pas encore été réalisée. Qu'une théorie soit invalidée par une expérience prouve en revanche qu'elle est fausse.

Une expérience qui invalide une théorie permet donc de progresser de façon plus décisive dans la connaissance qu'une expérience qui réussit. « *On apprend peu par la victoire, mais beaucoup par l'échec* », dit un proverbe japonais. La persévérance des savants ne s'explique pas autrement. Même lorsqu'ils échouent à valider leurs hypothèses, ils ne perdent pas de temps ; ils progressent. Ils supportent les échecs parce qu'ils leur soufflent quelque chose sur la nature des choses.

La vertu de l'erreur est enseignée dans tous les laboratoires de recherche, en médecine, en neurosciences, en biologie, en physique, en astrophysique... Dès que la recherche est poussée, les erreurs y sont analysées, considérées comme normales ou comme ce miel avec lequel on fait les vérités. Voilà qui contraste avec la place que lui réserve l'école française. S'il y a évidemment des instituteurs ou des enseignants convaincus que c'est en se trompant qu'on apprend, l'éducation nationale semble l'ignorer. Comment, après avoir découvert la thèse si convaincante de Bachelard, comprendre le discrédit qui s'abat sur les jeunes élèves lorsqu'ils échouent à comprendre, ou simplement à appliquer les méthodes enseignées ? Les élèves qui ratent leurs exercices sont souvent montrés du doigt. Leurs mauvais résultats sont interprétés comme une absence de travail, de volonté ou, pire, d'intelligence.

Ils pourraient tout aussi bien être vus comme des étapes vers la compréhension. Il est quand même surprenant que le fait de se tromper soit perçu comme humiliant par la plupart des élèves français de CM1 ou de CM2, mais que les chercheurs du monde entier y voient un acte normal, formateur, nécessaire.

Parmi les nombreux enseignements des études PISA (études menées par l'OCDE visant à la mesure des performances éducatives des pays membres), il apparaît que la peur de se tromper est chez les jeunes Français excessivement élevée. En témoigne leur comportement face aux QCM : alors même qu'ils maîtrisent les connaissances mieux que la moyenne des candidats, ils préfèrent ne rien répondre que de risquer de mal répondre. C'est bien que l'erreur est trop peu valorisée dans la formation qu'ils reçoivent, voire qu'elle est considérée comme un drame, une infamie.

Il faudrait leur rappeler combien les génies, les savants mais aussi les artistes se sont trompés. Leur faire découvrir tout ce qu'ils ont compris en se penchant sur leurs erreurs, tout ce qu'ils n'auraient *jamais* compris s'ils ne s'étaient pas trompés. Leur montrer tous ces carnets de peintres remplis d'esquisses retouchées, biffées, raturées, ces partitions de compositeurs surchargées de corrections, parfois rayées de rage. Lorsque nous regardons les manuscrits de Marcel Proust, notamment de son roman *À l'ombre des jeunes filles en fleurs* conservé à la Bibliothèque nationale de France, nous sommes frappés par la quantité de ratures et de retouches, de phrases modifiées ou déplacées. La seule manière de parvenir à certaines phrases semble être de commencer par échouer à les trouver. Les plus beaux passages n'ont pas été produits d'un premier jet. Il a fallu rater et rater encore, rater de mieux en mieux pour y arriver enfin. C'est probablement ce que veut dire Samuel Beckett lorsqu'il écrit « *rater, rater mieux* ». C'était sa définition du métier de l'artiste ; c'est également le secret d'une vie accomplie.

Le tennisman Stanislas Wawrinka, vainqueur de Roland Garros en 2015 mais aussi de l'Open d'Australie et de la Coupe Davis en 2014, semble l'avoir compris : il s'est fait tatouer sur l'avant-bras gauche la citation de Samuel Beckett issue de *Cap au pire*, dans sa version intégrale : « *Ever tried. Ever failed. No matter. Try again. Fail again. Fail better* » (« *Déjà essayé. Déjà échoué. Peu importe. Essaie encore. Échoue encore. Échoue mieux* »). Interrogé sur les raisons de son choix, il a répondu que cette citation de Samuel Beckett l'avait toujours porté, qu'il n'y avait selon lui pas de meilleur message d'espoir.

Tous ces ratés dans le processus de création artistique ressemblent aux erreurs des scientifiques : ils peuvent être désagréables, mais sont acceptés comme des étapes nécessaires, comme autant de marches vers l'œuvre finale. Sans culture de l'erreur, ces ratés seraient plus douloureux. Artistes et scientifiques seraient paralysés par le sentiment de l'échec comme nous le sommes parfois. Au lieu de cela, et même s'il leur arrive de souffrir, ils se remettent au travail sans attendre, passionnés par chaque nouveau petit pas, les yeux grands ouverts et le cœur en joie. Au fond, ce qui transforme une erreur « normale » en échec douloureux, c'est le fait de mal la vivre : le sentiment de l'échec. La culture de l'erreur protège du sentiment d'échec.

Chaque élève effrayé par les sciences devrait apprendre que le savant est d'abord quelqu'un qui sait se tromper, que le progrès scientifique n'est rien d'autre, comme l'explique Bachelard, qu'une succession de rectifications. Chaque élève paralysé devant un sujet de dissertation de français devrait jeter un œil aux manuscrits raturés de Marcel Proust. Quant aux professeurs, au lieu d'accabler les élèves rendant des mauvaises copies avec des appréciations comme « *devoir confus* » ou « *insuffisant* », pourquoi ne pas opter pour des formules plus ouvertes comme « *faites comme Proust, reprenez votre texte* » ?

« *L'erreur est humaine* », dit le proverbe. Le sens que nous lui attribuons habituellement est que l'erreur n'est pas grave, qu'elle est « pardonnable ». Mais il comporte peut-être un autre sens, plus profond, qu'éclaire la thèse de Bachelard : l'erreur est la manière humaine, proprement humaine, d'apprendre. Ni les animaux, ni les machines, ni, s'ils existent, les dieux, n'apprennent ainsi.

L'origine de ce proverbe est indécise : on le trouve aussi bien chez des auteurs stoïciens, comme Sénèque ou Cicéron, que chez des auteurs chrétiens comme saint Augustin. Et on oublie trop souvent de le citer *in extenso* : « *L'erreur est humaine, la reproduire est diabolique.* » Si, en effet, l'homme ne peut apprendre que par l'erreur, la reproduire c'est s'enfermer dans l'ignorance, se condamner à ne jamais rien comprendre.

Un chef d'entreprise m'a dit un jour : « *Quand un de mes collaborateurs se plante une fois, je lui dis bravo, mais s'il se plante une deuxième fois de la même façon, je lui dis que c'est un con.* » Au début, je n'ai pas aimé cette phrase. Je l'ai trouvée arrogante, presque méprisante. Mais c'était oublier les leçons des grands artistes et savants. Aujourd'hui, elle me semble drôlement sage.

3

La crise comme fenêtre qui s'ouvre
– *une question pour notre temps* –

> « *Dans le péril, croît aussi ce qui sauve.* »
>
> FRIEDRICH HÖLDERLIN

La crise comme « kaïros »

Trop souvent, nous voyons l'échec comme une porte qui se ferme. Et si c'était aussi une fenêtre qui s'ouvre ?

C'est en tout cas le sens étymologique du mot crise, qui vient du verbe grec « *krinein* » signifiant « séparer ». Dans la crise, deux éléments se séparent, créant une ouverture, un espace dans lequel il va devenir possible de lire quelque chose. Au sens propre, une *faille* : une ouverture qui donne à voir. Les Grecs utilisaient le terme « *kaïros* » pour désigner ce moment où le réel se révèle à nous de manière inédite, « *kaïros* » pouvant se traduire par « occasion favorable » ou par « moment opportun ». Affirmer que la crise est un « *kaïros* », c'est la voir comme une occasion de comprendre ce qui était caché, de lire ce qui était recouvert.

Nous expérimentons cette vertu de la crise dans tous les domaines, en science du vivant comme en science économique, sur le plan intime comme sur le plan politique.

L'histoire du progrès de la médecine est ainsi pour l'essentiel une histoire des maladies. C'est en étudiant le corps dans ses crises, le corps lorsqu'il dysfonctionne, que les médecins ont progressé dans leur savoir, chaque maladie nouvelle ouvrant une fenêtre pour comprendre notre métabolisme. C'est en se penchant sur le corps humain lorsqu'il ne marchait pas que nous avons mieux compris « comment il marche ». Par exemple, ce sont les cas de diabète qui ont conduit les médecins à s'interroger sur la manière dont le sucre est produit dans notre corps, et dont son taux est régulé dans le sang. Sans les diabétiques, les médecins auraient découvert plus tard le rôle de l'hormone de l'insuline dans cette régulation.

De même pour les outils que nous utilisons : le « mode échec » est souvent le point de départ d'une réflexion, d'une compréhension. Il ouvre des questions que nous ne nous serions pas posées. Qui ne s'est jamais retrouvé en panne, en rase campagne, à ouvrir le capot de sa voiture, se demandant pour la première fois comment marche un moteur ? Ici encore, c'est quand cela ne marche pas que nous nous demandons comment cela marche. Reconnaissons que nous ne posons pas cette question lorsque nous roulons à grande vitesse et que la route défile sous le soleil. Tout à notre ivresse, nous nous laissons porter. La sagesse de l'échec commence par la première panne : le capot s'ouvre comme une fenêtre sur le fonctionnement du moteur.

De la même façon, chaque crash d'avion est suivi d'une enquête indépendante (menée par le BEA, Bureau Enquête Analyse, pour tous les accidents civils concernant la France) dont les conclusions sont diffusées à l'ensemble des acteurs du trafic aérien, chacun de ces drames apportant des connaissances utiles pour la sécurité des vols. Après l'accident du Paris-Rio en 2009, le plus meurtrier de toute l'histoire d'Air France, l'analyse des boîtes noires a montré que la défaillance des sondes Pitot, fabriquées par Thales, avait été une cause déterminante. L'obstruction de ces sondes par des cristaux de glace a en effet provoqué une perturbation des indications de vitesse, qui a empêché les pilotes de réagir de manière appropriée lorsque l'avion a décroché. Air France comme les autres compagnies ont alors changé ces sondes sur tous leurs avions. Cet accident fut le « *kaïros* » d'une amélioration générale de la sécurité pour tous les passagers.

L'Histoire est pleine de ces crises qui furent autant de fenêtres pour l'avenir, de moments tragiques qui furent autant de « *kaïros* ». Le débarquement réussi des Alliés en Normandie, le 6 juin 1944, est enseigné dans tous les manuels d'Histoire, souvent sans préciser ce qu'il doit à l'échec de l'opération « *Jubilee* » de 1942. À l'aube du 19 août 1942, une force alliée composée de Canadiens et de Britanniques tente de débarquer à Dieppe. C'est un fiasco. Sur les 6000 hommes envoyés, 4000 périssent ou sont faits prisonniers. L'erreur des Alliés avait été de vouloir débarquer sans bombardement aérien ou maritime préalable, de s'attaquer frontalement à un port bien défendu. C'est au cœur de cette crise qu'ils comprirent que, pour réussir, le débarquement allié sur les côtes françaises devra être masqué, voire devancé par une manœuvre de diversion.

Nos crises existentielles nous livrent le même enseignement. Une crise de couple est souvent l'occasion de mieux comprendre ce à quoi l'un et l'autre aspirent, sur quelles bases ils peuvent – ou pas – être heureux ensemble. Et qu'est-ce qu'une dépression sinon une invitation, particulièrement douloureuse, à ouvrir une fenêtre sur ce que nous ne voulons pas voir ? C'est même probablement la fonction de la dépression : nous forcer à nous arrêter pour nous interroger sur nous-mêmes, sur l'écart entre notre existence et ce que nous en attendons, sur nos dénis, nos désirs inconscients. Combien d'entre nous ne se sont jamais interrogés sur leur inconscient avant de connaître cet effondrement psychique ? Il semble qu'il faille, ici aussi, que cela ne marche pas pour que nous daignions nous demander « comment ça marche ». Les symptômes de la dépression indiquent qu'il y a, « sous le capot » de la conscience, quelque chose à éclaircir, à déchiffrer, ou à entendre. Ce peut être alors le début d'une aventure salutaire, le commencement d'une psychanalyse qui nous rendra plus conscients de nous-mêmes, plus lucides sur notre complexité, en un mot plus sages. La dépression aura été le « *kaïros* », le moment d'ouvrir la fenêtre sur l'énigme de notre intériorité.

Si les multiples crises qui émaillent l'histoire du capitalisme semblent elles aussi des fenêtres qui s'ouvrent sur la réalité du capitalisme, le simple fait de leur répétition semble indiquer qu'il n'est pas si facile d'analyser ce qu'elles révèlent.

Prenons l'exemple de la crise des subprimes de 2008. Propagation rapide et mondiale, contagion de la crise financière à l'économie réelle, explosion d'une bulle spéculative qui aurait pu être anticipée... Malgré des différences, elle ressemble par trop d'aspects au krach boursier de 1929 pour qu'on puisse concevoir un progrès de la science économique. Les économistes aimeraient être comme les ingénieurs aéronautiques, capables d'augmenter la stabilité et la fiabilité de leurs systèmes après chaque accident. Mais dans leur domaine, les progrès sont plus discutables. C'est l'occasion de rappeler combien nous devons être vigilants, aux aguets, saisir vraiment les crises comme des occasions de découvrir. Ce n'est pas parce que la fenêtre s'ouvre que nous sommes assurés de comprendre ce qu'elle nous montre.

Qu'elles aient lieu dans le corps ou le psychisme, sur la scène de l'Histoire ou dans la vie intime, les crises déchirent le réel : soudain s'offre à notre regard ce qui était caché. C'est ce que résume ce vers du poète allemand Hölderlin : « *Dans le péril, croît aussi ce qui sauve.* » Encore faut-il, pour reconnaître le surgissement de « ce qui sauve », savoir garder les yeux ouverts.

Notre crise collective

Méditer ce vers de Hölderlin peut être utile en ce temps de crise politique, sociale, économique, et surtout « d'identité », que traverse notre pays. Notre système de représentation ne fonctionne plus : nous ne parvenons plus à nous représenter ce qu'est la France, et *a fortiori* l'Europe, nous n'avons plus confiance en nos représentants. Chaque président de la République bat le record d'impopularité de son prédécesseur et les partis classiques sont désertés par les militants. Bien souvent, il faut que nous soyons à l'étranger pour retrouver le sentiment d'être français. Même lorsque nous sommes victimes d'une attaque terroriste, nous ne sommes capables d'une véritable unité nationale que quelques jours. La crise des migrants donne un aperçu de notre crise identitaire : nous ne savons ni les accueillir ni les rejeter. Nous continuons de nous dire le pays des droits de l'homme mais accueillons quelques dizaines de milliers de réfugiés quand l'Allemagne en accueille un million. Pas question toutefois de leur fermer complètement nos portes, comme a voulu le faire l'Autriche. Nous invoquons encore les droits de l'homme mais nous comportons dans les faits à peu près comme l'Autriche. Cette schizophrénie montre que nous ne savons plus qui nous sommes. Nous avons perdu le sens de notre destin commun, la manière de nous dire et de nous raconter : au fond, nous ne savons plus ce que signifie « être français ».

Les crises collectives sont elles aussi des fenêtres qui s'ouvrent. Comme le suggère le vers de Hölderlin, elles dévoilent *en même temps* « le péril » et « ce qui sauve ». Voir le moment difficile que nous traversons simplement comme la fin de notre grandeur revient à méconnaître cette vérité ambiguë de toute crise. Aveuglés par notre inquiétude, nous risquons d'oublier qu'une crise n'est pas davantage une fin qu'un commencement. Elle est toujours un basculement. Tourner nos yeux vers le passé en répétant « c'était mieux avant » nous empêche d'ausculter le cœur du péril et d'y voir surgir ce qui pourrait sauver.

Il nous faut, pour y parvenir, être pleinement attentif, ne surtout pas fuir la complexité du présent en se réfugiant dans un passé fantasmé, dans le ressassement ou le ressentiment. Si nous entendions vraiment le vers de Hölderlin, nous vivrions autrement cette crise : elle éveillerait notre curiosité au lieu d'encourager notre morosité. Nous irions à la fenêtre, inquiets face au péril, mais pleins de la passion d'y découvrir la promesse d'une aube.

Se laisser amoindrir par la crispation identitaire en sombrant dans la peur, la déploration ou le repli, c'est se laisser contaminer par la tristesse. Tous ceux qui ne font que regretter notre puissance déchue et pleurer notre déclin sans fin voudraient nous emporter dans leurs passions tristes. Rien n'agace plus un esprit chagrin qu'une âme remplie d'espoir.

« *There is a crack in everything, that's how the light gets in* », chante Léonard Cohen dans *Anthem* : « *Il y a une fissure en toute chose, c'est ainsi qu'entre la lumière.* » Les crises sont comme ces fissures : en filtrant la lumière, elles la rendent plus puissante.

Et si la vérité de l'Occident – étymologiquement le « pays du soleil couchant » – surgissait dans ce filet de lumière ? Dans sa leçon inaugurale au collège de France, l'historien Patrick Boucheron interroge la vérité de l'Occident et la trouve davantage dans la « lumière du déclin » que dans le sentiment d'une puissance claire et sans ambages. Notre Occident, souligne-t-il, a eu le sentiment de son déclin durant toutes les grandes périodes de son Histoire. Spécialiste du Moyen Âge, il précise que les hommes d'alors, contemporains des guerres de Religion, avaient déjà du mal à donner un sens positif à l'idée d'Europe occidentale. Ils étaient, selon l'expression d'un autre historien, Lucien Febvre, « les tristes hommes du XVIe siècle ». Avant eux, l'idée d'Europe occidentale n'avait guère de sens, sinon, précise-t-il, « *le sens commun de Maghreb, qui est pour les géographes arabes le côté du couchant et des mauvais augures* ». « Maghreb » (de l'arabe al Magrib, « pays du soleil couchant », l'Occident) s'opposait alors à « Machrek » : le Levant. « Il y a toujours un pléonasme un peu comique, ajoute l'historien, à parler du déclin de l'Occident puisque son nom ne recouvre rien d'autre que les pays de la nuit qui vient. » Mais pour Patrick Boucheron, la vérité et la beauté de l'Occident se jouent précisément dans cette « lumière du déclin » : dans une manière d'être inquiets qui nous grandit, dans cette façon de douter de nous-mêmes qui indique un degré élevé de civilisation.

« *Qui est ce nous ?* se demande Patrick Boucheron. *S'il est aujourd'hui meurtri [...] par la déplorable régression identitaire qui poisse notre contemporanéité, c'est parce qu'on l'éloigne ainsi de ce qui constitue le legs le plus précieux de son histoire : quelque chose comme le mal d'Europe. Soit le sentiment vif d'une inquiétude d'être au monde qui fait le ressort puissant de sa grandeur et de son insatisfaction.* »

Ainsi, le propre de l'Occident est, selon le professeur, d'avoir toujours su conjuguer son éclat avec une forme d'inquiétude, et faire de son insatisfaction un moteur, une force de proposition humaniste. Il déplore que notre inquiétude nous conduise aujourd'hui à la tentation de la fermeture, à la « *déplorable régression identitaire* ».

Nous vivons bien une défaite. Le soleil se couche en effet sur ce que nous fûmes. Nous ne sommes plus cette terre où il fait bon vivre ensemble, ce pays capable d'intégrer les différences dans l'aventure d'une seule République. Notre voix, jadis écoutée dans le monde entier, ne porte plus. Excepté dans les champs restreints de la mode et du luxe ou de la gastronomie, nous ne sommes plus un modèle pour les autres peuples. Mais cette défaite peut nous élever si nous nous souvenons combien nous sommes capables, nous les Occidentaux, de révéler notre grandeur dans la « lumière du couchant ».

Aristote nous avait prévenus : il n'est pas facile de saisir le « *kaïros* ». Dans la mythologie grecque, Kaïros est un dieu chauve, affublé d'une minuscule queue-de-cheval. La main qui veut l'attraper glisse sur son crâne lisse… à moins de réussir à saisir ses quelques cheveux. Pour cela, il faut du coup d'œil et de la vivacité ; il faut aimer la difficulté. C'est peut-être ce qui nous manque aujourd'hui. S'accrocher à un passé fictif pour défendre une identité française figée et fermée sur elle-même, flatter les peurs pour refuser les changements du temps, c'est céder à la facilité. L'Histoire le confirme : il est plus aisé, plus dangereux aussi, de jouer sur les peurs que d'éveiller le courage.

Comprendre qu'il puisse y avoir en même temps fin et début, défaite et promesse, tristesse et joie, n'est pas chose facile. Le propre d'une authentique politique est, pour Hannah Arendt, « *d'ouvrir un temps nouveau* ». Autrement, elle se confond avec une simple gestion des affaires courantes. Selon l'auteur de *La Crise de la culture,* la vertu politique par essence est la « *vertu du commencement* ». Affrontons donc notre crise collective en osant demander : Qu'est-ce qui *commence* ? Plus précisément : qu'est-ce qui commence d'intéressant ? Céder à la crispation réactionnaire, c'est fuir cette belle question, proprement politique, dans l'obsession d'une autre question : qu'est-ce qui est perdu ? Cette dernière est peut-être, à l'origine, légitime. Elle cesse de l'être lorsqu'elle devient la seule question. La laisser effacer toutes les autres, c'est méconnaître en même temps la vertu de la crise et la beauté de la politique.

4

L'échec pour affirmer son caractère
– *une lecture dialectique* –

« *La difficulté attire l'homme de caractère, car c'est en l'étreignant qu'il se réalise lui-même.* »

CHARLES DE GAULLE

Monique Serf a quitté Paris en 1950 pour tenter de concrétiser à Bruxelles son rêve de « pianiste chantante ». Sans ressources ni connaissances, elle peine à trouver des cabarets acceptant de lui donner sa chance. Lorsqu'elle y parvient enfin, elle tente d'interpréter des chansons d'Édith Piaf ou de Juliette Gréco mais doit s'interrompre : les sifflets du public sont trop forts. Quelque chose, dans sa manière d'être sur scène, ne passe pas : une sorte d'austérité, une rigidité qui n'est pas en phase avec son temps. Elle retourne à Paris, à la fin de l'année 1951, pour une nouvelle série d'auditions. Après son essai à La Fontaine des quatre saisons, un cabaret où se produisent Boris Vian ou Marcel Mouloudji, on lui propose enfin une place.

En cuisine. Un job de plongeuse pour un an. Elle l'accepte. Elle ne s'appelle pas encore Barbara.

Ses échecs ne la détournent pas de sa vocation. Bien au contraire, c'est à leur contact qu'elle en mesure la force et affirme son tempérament. Au fond, nos échecs sont autant de tests pour notre désir. Nous pouvons en profiter pour nous interroger sur nos aspirations, comprendre par exemple que nous avons échoué parce que nous ne tenions pas vraiment à ce que nous poursuivions. Ou au contraire, comme dans le cas de Barbara, éprouver au cœur même de l'échec la force persistante de notre désir, mesurer combien telle aspiration est la grande affaire de notre vie. Barbara rencontrera le succès une dizaine d'années après avoir accepté ce poste de plongeuse. Elle composera et interprétera certains des titres les plus bouleversants du répertoire français : *Ma plus belle histoire d'amour, c'est vous*, *L'Aigle noir*, le sublime *Dis, quand reviendras-tu* ou encore le déchirant *Nantes*. En l'écoutant, en la voyant sur scène, en prêtant attention au sens de ses paroles, on devine que la force de caractère de Barbara s'est forgée dans l'adversité. Lorsqu'elle chante « *si tu ne comprends pas, qu'il te faut revenir, je ferai de nous deux, mes plus beaux souvenirs, je reprendrai ma route le monde m'émerveille, j'irai me réchauffer à un autre soleil, je n'ai pas la vertu, des femmes de marin* » – on sent une force de vie qui s'est affermie le long d'un chemin ardu.

Dans *Nantes*, Barbara raconte son arrivée dans cette ville où son père, qu'elle a perdu de vue et qui a abusé d'elle lorsqu'elle était enfant, est en train de mourir : « *ce vagabond, ce disparu, voilà qu'il m'était revenu* »… Mais elle arrive trop tard : « *je n'ai pas posé de questions, à ces étranges compagnons, j'ai rien dit mais à leurs regards, j'ai compris qu'il était trop tard* ». Elle a commencé à composer cette chanson d'une beauté à couper le souffle, d'une infinie dignité, le lendemain de l'enterrement de son père. Elle y évoque cet homme qui, comme elle le raconte dans *L'Aigle noir*, lui a volé son enfance mais qui voulait quand même, « *avant de mourir, se réchauffer à son sourire* ». Il mourra « *sans un adieu, sans un je t'aime* ». Celui ou celle dont l'enfance fut un long fleuve tranquille ne peut composer une telle chanson. C'est au contact des épreuves que ces textes sont nés. *Nantes* sera un de ses plus grands succès.

Faire l'expérience de l'échec, c'est éprouver son désir et se rendre compte qu'il est parfois plus fort que l'adversité. Le parcours du général de Gaulle, du début de la Première Guerre mondiale à la fin de la seconde, est jalonné d'échecs bien plus encore que celui de Barbara. Le « grand Charles » a traversé l'entre-deux-guerres le sentiment du fiasco chevillé au corps. La guerre de 14-18 lui a « *laminé l'âme* », ainsi qu'il l'écrira dans ses *Mémoires*, mais son sentiment d'échec vient surtout de sa longue captivité. De mars 1916 à la fin de la guerre, elle l'a privé de combats à l'heure où sa patrie était menacée. « *Il me semble qu'au long de ma vie – qu'elle doive être courte ou prolongée – ce regret ne me quittera plus* », écrit-il à sa mère le 1er novembre 1918. Il tenta bien de s'évader, mais échoua à cinq reprises. Après la guerre, il s'engagea en Pologne, dans l'armée du Rhin ou au Proche-Orient, mais c'était parce qu'il fallait bien faire quelque chose, avec toujours cette impression d'une vie en dessous de ses attentes. Lorsqu'en 1934, il publie *Vers l'armée de métier*, il n'est qu'un obscur lieutenant-colonel. Il attend de cette publication qu'elle lui apporte enfin la reconnaissance. Il veut servir la France en tant qu'écrivain et stratège, puisqu'il ne lui a pas été donné de la servir en homme d'action. Mais le livre ne rencontre qu'un faible écho. Même son appel du 18 juin 1940, lancé de la BBC de Londres alors que la France de Pétain a capitulé et s'apprête à signer l'armistice, passera d'abord inaperçu. C'est l'Histoire qui, rétroactivement, en fera l'acte de naissance de la Résistance. Le 14 juillet 1940, quand le chef autoproclamé de la résistance à l'ennemi passe pour la première fois en revue, sur le sol anglais, ceux qui s'appellent désormais les « Français libres », ils ne sont même pas trois cents. Dans la France vaincue et occupée, sidérée, personne ne connaît ce général inconnu qu'un conseil de guerre condamnera à mort par contumace. Son appel semble, au mieux, sans avenir. Au pire, suspect. Charles de Gaulle espérait des ralliements massifs. Il ne voit arriver aucun chef militaire, aucune figure politique sérieuse, seulement quelques aventuriers rêvant de faire parler la poudre, quelques officiers de réserve et des pêcheurs de l'île de Sein… Lorsque les Alliés débarquent en Afrique du Nord, le 8 novembre 1942, ils installent au pouvoir Henri Giraud et non Charles de Gaulle. Et lorsqu'ils débarquent en Normandie le 6 juin 1944, ils prennent encore bien soin de tenir le général de Gaulle à l'écart.

Il faudra deux millions de Parisiens sur les Champs-Élysées le 26 août, venus l'accueillir et l'acclamer en héros, pour que les Alliés n'aient d'autre choix que de reconnaître le Gouvernement provisoire de la République française que le général de Gaulle avait formé au début du mois de juin.

« *La difficulté attire l'homme de caractère*, écrira-t-il dans ses *Mémoires, car c'est en l'étreignant qu'il se réalise lui-même.* » Les échecs ont eu pour vertu de façonner ce caractère, de le préparer à endurer d'autres échecs. Ils ont confirmé Charles de Gaulle dans son désir de servir la France, ils ont nourri cette force de résistance à l'adversité qui deviendra la clef de son succès.

S'il n'avait pas enduré cette somme d'échecs pendant plus de vingt ans, entre 1914 et 1940, aurait-il été capable de supporter le faible écho que rencontrèrent, les 18, 22 et 24 juin, les appels qu'il lança depuis Londres ?

Son parcours fait songer à celui d'un autre président, mais américain. Ce dernier a commencé par faire faillite à 31 ans. Il fut ensuite battu aux élections législatives à 32 ans. Fit faillite une nouvelle fois à 34 ans. Dut faire le deuil de celle qu'il aimait, emportée par la maladie, alors qu'il n'avait que 35 ans. Fit une dépression à 36 ans. Fut battu aux élections locales à 38 ans. Battu aux élections du Congrès à 43 ans, puis à 46 et 48 ans. Battu ensuite aux élections du Sénat à 53 ans et 58 ans. À 60 ans, finalement, Abraham Lincoln devint président des États-Unis. C'est à lui que nous devons l'abolition de l'esclavage. Il dut déployer une énergie immense pour remporter ce combat conduisant à la loi d'abolition, tant les résistances furent nombreuses. On peut se demander, comme dans le cas du général de Gaulle, si ce n'est pas la somme de ces échecs qui l'a le mieux préparé à cet ultime et victorieux combat par lequel il est entré dans l'Histoire.

On connaît le bon mot de Sacha Guitry : « *Je suis contre les femmes, tout contre.* » Paraphrasant Sacha Guitry, nous pourrions dire que c'est contre les échecs, tout contre, qu'un caractère s'affirme. C'est contre la difficulté, tout contre elle, que la vie se déploie. Reste à comprendre plus précisément par quel mécanisme.

La philosophie vitaliste de Bergson donne un éclairage. Il montre que la vie est comme une énergie – « énergie spirituelle » plus précisément – courant à travers le vivant, végétal, animal et humain, en se complexifiant à mesure qu'elle progresse. Cette vie rencontre des obstacles et doit trouver en elle des ressources de créativité pour continuer à croître, la créativité étant, selon Bergson, la vérité profonde de tout vivant. Le lierre continue ainsi de grimper sur la pierre malgré les obstacles qui lui barrent la route. Par analogie, nous pouvons interpréter la force de vie dont ont fait preuve Barbara, Charles de Gaulle ou Abraham Lincoln comme l'expression d'un élan vital qui est plus fort que tout, traverse les vies végétales et animales pour se condenser de manière exceptionnelle dans la créativité des grands hommes. Cette lecture vitaliste est séduisante : si la vie est cette poussée, cet élan, alors nous pouvons en effet l'éprouver d'autant plus qu'elle est contrariée.

Mais elle ne rend pas compte d'un phénomène plus particulier, et commun aux trois destins précités. Nous avons souvent l'impression que Barbara, Charles de Gaulle ou Abraham Lincoln ont eu *besoin* de leurs échecs pour prendre la pleine mesure de leur force de vie. Ce n'est donc pas simplement que leur élan vital a été plus fort que l'adversité : c'est qu'il s'en est nourri.

La philosophie dialectique de Hegel peut nous aider à le comprendre. Dans toute son œuvre, Hegel nous montre des forces à l'œuvre qui ont besoin de ce qui s'oppose à elles, de ce qui les « nie » (c'est ce que Hegel nomme « négation ») pour se révéler à elles-mêmes comme forces. Autrement dit, un esprit a besoin de son contraire pour savoir qui il est. La dialectique désigne donc l'inséparabilité des contraires et le dépassement final de leur opposition. D'après Hegel, on observe un tel processus à tous les niveaux de l'existence. C'est lorsque je confronte ma conviction à une conviction contraire que j'en prends pleinement conscience : il faut qu'une conviction autre vienne nier la mienne pour que je trouve enfin tous les arguments pour la défendre. C'est d'ailleurs le principe d'une bonne dissertation de philosophie : il faut qu'une antithèse vienne s'opposer à une thèse pour que cette dernière puisse enfin montrer toute sa puissance. Le troisième temps n'est donc pas une simple synthèse mais un dépassement : la thèse triomphe, absorbe en son sein les arguments de l'antithèse. De même, c'est face au Mal que le Bien prend tout son sens : il faut que le Mal existe et vienne menacer le Bien pour que le Bien s'érige comme tel, et se manifeste dans toute sa beauté. Hegel va jusqu'à interpréter la création du monde par Dieu selon cette vision dialectique. Dieu est pur Esprit. Il a donc besoin de ce qui est le plus différent de lui, la matière, pour prendre conscience de lui en tant qu'Esprit. Il va donc créer cet « autre » qu'est le monde, la nature, pour s'y confronter et se saisir enfin comme Esprit. Le Dieu de Hegel est un Dieu inquiet, qui veut savoir qui il est : il devra faire lui aussi l'épreuve de la négativité.

À la lumière de cette dialectique hégélienne, nous comprenons mieux comment la force de vie d'une Barbara ou d'un Charles de Gaulle a pu avoir besoin du « négatif », de l'échec ou de l'adversité, pour se révéler vraiment. La force de vie devient alors inséparable de l'adversité, et leur opposition se trouve dépassée, « dialectisée », dans le mouvement même de la vie. L'échec est le contraire de la réussite, mais c'est un contraire dont la réussite a besoin. Si Hegel a raison, si la dialectique désigne en effet la vérité de tout processus, alors cette opposition dynamique peut devenir le moteur même de notre progrès.

« *J'ai raté 9000 tirs dans ma carrière. J'ai perdu presque 300 matchs. 26 fois, on m'a fait confiance pour prendre le tir de la victoire et je l'ai manqué. J'ai échoué encore et encore dans ma vie. Et c'est pourquoi j'ai réussi* », confie le basketteur Michael Jordan avec des accents hégéliens. Il cumule le plus de titres NBA de toute l'histoire des États-Unis, mais lorsqu'il relate son parcours, il le voit jalonné d'échecs autant que de succès. Il sait que la réussite est toujours une succession d'échecs et de succès, jamais un simple enchaînement de succès. Il sait qu'il est devenu Michael Jordan lorsqu'il a manqué tous ces tirs de la victoire, qu'un caractère s'affirme dans l'adversité. L'absence d'échecs nous prive peut-être d'ailleurs de la possibilité d'affirmer notre caractère. Sans force de négation, dirait Hegel, la force d'affirmation ne peut donner toute sa mesure. L'auteur de la *Phénoménologie de l'Esprit* irait même plus loin : sans force de négation, il ne peut y avoir de force d'affirmation.

5

L'échec comme leçon d'humilité
– une lecture chrétienne ? –

« Le fait d'avoir été renvoyé d'Apple a été la meilleure chose qui me soit arrivée. »

STEVE JOBS

Le mot humilité vient du latin « *humilitas* », dérivé de « *humus* » qui signifie « terre ». Échouer, c'est souvent en effet « redescendre sur terre », cesser de se prendre pour Dieu ou pour un être supérieur, guérir de ce fantasme infantile de toute-puissance qui nous conduit si souvent dans le mur. C'est reprendre pied, réapprendre à se voir comme on est, avec réalisme, ce qui peut être un solide atout dans la construction d'une existence réussie.

Les entraîneurs savent bien qu'il n'y a rien de pire pour un champion que le péché d'orgueil, l'impression d'être intouchable, de ne pas pouvoir perdre. C'est une évidence dans le sport de haut niveau : rien de telle qu'une bonne défaite pour rappeler l'athlète à sa vigilance, réinsuffler en lui cette pointe de doute sans laquelle le talent ne peut donner toute sa mesure. Il faut souvent que l'athlète cesse de se croire supérieur pour qu'il le devienne vraiment. Il observera alors chaque adversaire en le respectant, n'en sous-estimera aucun, ne cessera jamais de se demander comment gagner. Et c'est grâce à cette attitude qu'il enchaînera les victoires.

La leçon d'humilité que nous offre l'échec est l'occasion de mesurer nos limites, tandis que le délire narcissique ou l'illusion de toute-puissance nous éloignent de cette prise de conscience.

Les artistes ou les écrivains en ont tous fait l'expérience. Lorsqu'ils échouent à accoucher de l'œuvre définitive dont ils rêvent, ils éprouvent qu'ils ne sont pas des démiurges, que leur art leur résiste, qu'ils ne peuvent pas tout. Ce retour à l'humilité, accompagné par un sentiment d'échec parfois douloureux, est souvent le point de départ d'une nouvelle aventure créative, peut-être plus modeste au début, plus progressive en tout cas, mais qui pourra déboucher sur une œuvre de qualité. Échouant à révolutionner leur art, ils se recentrent sur ce qu'ils savent faire et c'est parfois une bonne méthode pour retrouver l'inspiration. En nous rendant plus humbles, l'échec nous engage sur un chemin plus sûr. Il faut parfois retrouver la terre pour réapprendre à viser le ciel.

Avant d'être obligé de quitter Apple, Steve Jobs était devenu un être arrogant, ivre du succès fulgurant de la société informatique qu'il avait créée dans le garage de ses parents. Dès 1980, le chiffre d'affaires de la marque à la pomme, créée en 1976, atteint le milliard de dollars, et son introduction en Bourse rapporte 240 millions de dollars à Steve Jobs, alors âgé de 25 ans. Cela lui fit pourtant perdre le contrôle de sa société, en même temps que le contact avec le réel. N'écoutant plus personne, ne doutant jamais de lui, ne comprenant pas tout ce que le lancement désastreux du premier Macintosh signifiait des goûts des Américains, refusant toute objection de la part de ses collaborateurs, n'hésitant pas à user d'un management de l'humiliation, il fut d'abord écarté des décisions puis contraint à la démission en 1985 par le nouveau président nommé par les actionnaires. Sa déconvenue fut immense : il venait d'être viré de sa propre entreprise. Mais cet échec lui offrit la leçon d'humilité dont il avait besoin. C'est alors qu'il retrouva le réel, et avec lui le sens des contraintes qui rendent créatif. « *Je ne l'ai tout d'abord pas vu comme ça, mais je pense maintenant que le fait d'avoir été renvoyé d'Apple a été la meilleure chose qui puisse m'arriver* », a déclaré Steve Jobs lors d'une émouvante conférence à l'université de Stanford en 2005. « *Cela m'a libéré, et permis d'entrer dans une des périodes les plus créatives de ma vie... Ce fut un médicament affreux mais je pense que le patient en avait besoin.* » Ce patron visionnaire le dit lui-même : son échec l'a « *libéré* » de son arrogance et de son orgueil, et par là même l'a rendu de nouveau créatif.

Nous imaginons souvent les créateurs comme des êtres tout-puissants, des ogres ne connaissant aucune limite, mais cette image donne une vision déformée de la créativité. La créativité entretient une relation bien plus privilégiée avec l'humilité qu'avec l'orgueil, avec les limites qu'avec le sentiment de toute-puissance. Les grands créateurs savent que le réel existe. C'est bien à lui qu'ils se confrontent ; c'est lui qu'ils agencent et réagencent. Ils savent que tout n'est pas possible.

Steve Jobs, réveillé par son échec, se recentra donc sur ce qu'il savait faire. Il fonda Next, une société à taille humaine fabriquant des logiciels et des ordinateurs haut de gamme. Le résultat de cette nouvelle aventure fut mitigé, dérisoire au regard du succès d'Apple. Mais il donna à Steve Jobs une occasion retrouvée de développer son talent propre, venu d'une jeunesse passée à bricoler avec son père adoptif des composants électroniques : cet art de concevoir des logiciels novateurs, capables de séduire le grand public. Il racheta aussi à Georges Lucas, le créateur de *Star Wars*, le studio Pixar qui produira, plus tard, avec Disney, des dessins animés comme *Toy Story* ou *Le Monde de Nemo.*

Pendant ce temps, Apple connut une succession de déboires, en raison notamment du succès des PC utilisant les logiciels Microsoft. Au bord du gouffre, en manque de logiciels innovants, Apple dut racheter Next et, plus de douze ans après l'avoir renvoyé, réengagea Steve Jobs comme président.

C'est donc bien l'humilité retrouvée de ce grand patron qui est à l'origine de son retour triomphal dans la société qu'il avait créée. C'est cette humilité qui l'a conduit à se recentrer sur ses compétences et à développer cette société de logiciels performants, dont

Apple aura finalement besoin. De nouveau à la tête d'Apple, Steve Jobs reprit, en les améliorant encore, les recettes qui avaient si bien fonctionné au début : design épuré, usage facile, technologie pointue. Il se souvint aussi de cette évidence que son délire narcissique lui avait fait perdre de vue : une entreprise n'est pas le jouet d'un démiurge, mais une aventure collective. Avec ses équipes ressoudées, il lança l'iMac qui connut un succès immense et démoda d'un coup les vieux PC. Puis une vaste campagne publicitaire – « *Think different* » – qui, comme par hasard, mettait en scène des figures historiques de l'humilité, comme Albert Einstein ou le Mahatma Gandhi. Viendront les iBook, les iPod, les iPhone, les iPad... avec, à chaque fois, le succès au rendez-vous. Steve Jobs ne commettra plus l'erreur de penser qu'on peut avoir raison seul. Il comprendra qu'avoir raison trop tôt, en termes de marché, c'est avoir tort.

Les savants, souvent, sont des personnes très humbles. Ce n'est pas un hasard : parce qu'ils échouent sans cesse, parce qu'ils passent leur vie à corriger des intuitions fausses, ils ne manquent pas d'occasion de guérir de l'arrogance ou du fantasme de toute-puissance. Et c'est précisément, nous dit Bachelard, parce qu'ils savent accepter humblement la sanction du réel qu'ils progressent tant dans le savoir. Ils font preuve de ce mixte étonnant de courage et d'humilité qui devrait, selon le poète et philosophe français, constituer l'axe d'un humanisme moderne. Nous ne sommes ni Archimède ni Newton mais nous pouvons nous en inspirer. L'échec nous rend humbles, et cette humilité est souvent le début de la réussite.

« *Ne vous inquiétez pas pour vos difficultés en mathématiques*, affirmait Albert Einstein, *les miennes sont encore plus grandes.* » Derrière l'humour, le physicien nous dit combien l'humilité est un moteur pour le savoir. Celui qui mesure le plus finement les limites du savoir est également celui qui est en train de les faire reculer.

Le judo offre une belle métaphore de la manière dont l'échec rend humble et, par là même, nourrit la possibilité du succès futur. Dans ce corps à corps, chaque adversaire peut envoyer l'autre au sol à chaque instant. C'est pourquoi les jeunes judokas commencent par apprendre à tomber. C'est-à-dire à bien tomber : sans se crisper, en roulant avec souplesse et fluidité, en accompagnant leur chute d'une sorte d'assentiment. Cette belle manière de chuter symbolise parfaitement l'humilité : l'adversaire lui a fait une prise qui marche et qui l'envoie au sol, sur cette « terre » qu'est le tatami. Le judoka l'accepte. Mieux : il s'en sert. Car chaque fois qu'il chute, il en apprend un peu plus sur son adversaire. Chuter, c'est découvrir l'efficacité de l'une de ses prises. Mais puisqu'elle a marché cette fois, le judoka sait qu'il devra désormais la parer. Lorsque le judoka se relève, c'est donc fort d'une connaissance nouvelle. L'humilité est inséparable d'un apprentissage.

L'échec nous rend plus humbles, l'humilité nous rend sages, et c'est cette sagesse qui peut nous faire gagner.

Peu importe, finalement, le nombre de fois que nous tombons, tant que nous nous relevons une fois de plus, tant que nous nous relevons plus sages.

Difficile d'écrire cela sans songer au chemin de croix de Jésus. Plus Jésus chute, souffre, plus il se rapproche de Dieu. Ce chemin de croix est l'acte fondateur du christianisme. L'humilité va ici jusqu'à l'humiliation et conduit à la rédemption. Jésus tombe plus bas que terre et c'est pourquoi il monte au ciel. L'épreuve est telle qu'il en vient même à douter de son Père : « *mon Dieu, mon Dieu, pourquoi m'as-tu abandonné ?* »... Mais ce doute est lui aussi une leçon d'humilité, comme s'il fallait qu'il s'éloigne de sa propre divinité pour rejoindre les hommes, prendre à son compte notre condition jusqu'au bout. Ces derniers mots seraient alors, sous forme de question adressée à Dieu, l'ultime acte d'amour de Jésus pour les siens. Cette épreuve lui permet aussi de s'élever encore jusqu'à toucher la vérité pure de la foi : il n'y a de foi que dans le doute, tout contre le doute. Croire, c'est douter ; c'est supporter le doute jusqu'au fond de son cœur.

« *Bienheureux les humbles en esprit, car c'est à eux qu'est le royaume des cieux* », peut-on lire dans l'Évangile selon saint Matthieu. Ce verset est souvent interprété, avec ironie, comme une apologie des simples d'esprit, comme une invitation à ne pas discuter les enseignements de la Bible, à croire sans réfléchir. Mais il y a une autre lecture, plus profonde. Les « *humbles en esprit* » peuvent être intelligents : ils reconnaissent simplement les limites de cette intelligence au regard de la vérité révélée de la Bible. Nous ne sommes pas loin de la position d'Albert Einstein lorsqu'il déclarait à la fin de sa vie : « *Le plus grand mystère, c'est que nous puissions comprendre quelque chose.* »

Saint Paul aussi connut son propre chemin de croix et fut un exemple d'humilité. Parcourant le monde pour apporter la « bonne nouvelle » de l'Évangile, il fut battu, humilié, emprisonné, et écrivit pourtant : « *Je déborde de joie au milieu de mes pérégrinations.* » Il lui faut, comme Jésus, toucher le fond pour toucher l'essentiel, se dépouiller du superflu pour reconnaître ce qui compte. Même si nous ne croyons pas en Dieu, nous pouvons croire en cette vertu de l'humilité, et y voir l'un des enseignements majeurs du christianisme, cette religion dont le Dieu s'est incarné dans un nourrisson, un petit être démuni, infiniment fragile, chu dans une mangeoire, trouvé au fond d'une étable. Une invitation exemplaire à l'humilité.

6

L'échec comme expérience du réel
– une lecture stoïcienne –

> « *Ce qui dépend de toi, c'est d'accepter ou non ce qui ne dépend pas de toi.* »
>
> ÉPICTÈTE

« *Mon Dieu, donne-moi la force d'accepter ce que je ne peux pas changer, la volonté de changer ce que je peux changer, et la sagesse de savoir distinguer les deux* » : par cette « prière », Marc Aurèle résume la sagesse stoïcienne. À l'instar de certains passages des livres sacrés, ces mots sont de ceux qui ont le pouvoir de changer des existences. Marc Aurèle a été à la tête de l'Empire romain de l'an 161 à l'an 180 : la sagesse stoïcienne est bien une sagesse d'action. Que nous dit-elle au juste ? Qu'il est vain d'essayer de changer « *ce qui ne dépend pas de nous* », vain de vouloir changer les forces du cosmos dans lequel nous sommes plongés. Il vaut mieux user de sa force pour agir sur « *ce qui dépend de nous* ». Moins nous essaierons de lutter contre ce qui n'est pas en notre pouvoir, plus nous pourrons changer ce qui l'est. Si nous nous épuisons à vouloir changer ce qui ne peut l'être, nous ne serons même plus capables d'agir là où c'est possible.

Mais si cette sagesse semble de bon sens, nous sommes souvent incapables de la mettre en œuvre. C'est que nous sommes trop « modernes ». Éloignés de cette sagesse des Anciens par des siècles de progrès des sciences et des techniques, bercés depuis l'enfance par les « quand on veut, on peut », nous avons tendance à croire que notre volonté peut tout. Pressés d'en découdre, nous présupposons trop souvent que tout dépend de nous : nous nous faisons alors une idée fausse du réel. Nous le voyons comme une pâte que nous pourrions modeler à loisir. Et ce ne sont pas nos succès qui vont nous convaincre du contraire. Lorsque nous réussissons ce que nous entreprenons, nous ne sommes pas le mieux disposés pour entendre cette vérité, rappelée par Marc Aurèle, mais aussi par Sénèque ou Épictète, que le réel parfois résiste.

L'échec nous offre la chance de nous rendre enfin à l'évidence : il y a bien en face de nous quelque chose qui s'appelle le réel. Difficile de le nier lorsque nous nous sommes battus, avons fait de notre mieux mais avons échoué quand même. Et dans ce réel il y a en effet les choses qui dépendent de moi, et celles qui n'en dépendent pas – autrement, je n'aurais pas échoué. La sagesse stoïcienne commence par cette prise de conscience, par cette distinction, extrêmement simple, mais très difficile à intégrer lorsque nous n'échouons pas.

Or, cette distinction est souvent à l'origine de la réussite. Marc Aurèle lui-même ne cesse de rappeler, dans *Pensées pour moi-même*, qu'il faut toujours partir de cette ligne de partage : avant d'agir, commencer par identifier ce qui ne dépend pas de soi et ne pas essayer de le changer. Il faut la volonté de changer ce que nous pouvons changer. Il faut la force de ne pas changer ce que nous ne pouvons pas changer. Nous gagnerions un temps et une énergie considérables si nous étions capables de devenir des hommes ou des femmes d'action stoïciens.

J'ai rencontré souvent des dirigeants qui m'ont confié avoir radicalement modifié leur manière de travailler le jour où ils ont intégré l'axiome de base de la sagesse de Marc Aurèle. Au lieu de s'agiter en tous sens sans prendre en compte les forces en présence, ils ont appris à accepter tout de suite ce qui ne dépend pas d'eux pour mieux se concentrer sur le reste, à être davantage dans la stratégie et moins dans le volontarisme, davantage dans le jeu sur les forces et moins dans le rapport de forces. Beaucoup m'ont confié que cette méthode était d'une efficacité redoutable dans les négociations commerciales. S'ils m'y autorisaient, je les questionnais sur leurs parcours, sur ce qui leur avait permis de développer cette sagesse d'action stoïcienne. Dans la plupart des cas, c'était à la suite d'un échec.

Le contraire de la sagesse est assurément le déni du réel. Être dans le déni de l'échec est la façon la plus sûre de n'en tirer aucun profit. Mon expérience d'enseignant au lycée le confirme tous les jours : l'élève qui refuse son échec, arguant que le professeur note « n'importe comment » ou glissant sa copie au fond de son sac pour n'y plus songer, ne prendra pas le temps de s'arrêter sur ce qui n'a pas marché. Au lieu de voir l'échec comme un mauvais moment à oublier au plus vite, apprenons à le considérer comme une chance de s'arrêter dans une vie trop hâtive. Le déni de l'échec s'apparente dès lors à un refus de saisir cette occasion. La sagesse stoïcienne nous propose au contraire une profonde acceptation de cet échec, qui dit toujours quelque chose de la nature du réel.

Le cosmos était selon Marc Aurèle un monde clos, un vaste « nœud cosmique » traversé de forces. Gouverner, pour lui, c'était tenter d'initier des politiques portées par ces forces cosmiques, des projets humains mais s'inscrivant dans le mouvement de la destinée du monde. Pour pouvoir agir sur « ce qui dépend de nous », il fallait donc jouer de ces forces qui « ne dépendent pas de nous ». Dans cette optique, une politique échoue dans la mesure où elle se heurte frontalement aux forces du cosmos, au sens du monde. L'échec donne alors une indication précieuse sur la réalité de ces forces, indication qui peut s'avérer décisive dans les succès futurs. Être stoïcien, c'est être capable, même au cœur de l'échec, de cette sagesse-là : s'interroger sur ce que l'échec dit du réel. C'est le concevoir comme une rencontre privilégiée avec le réel, que celui-ci renvoie aux forces du cosmos, aux lois de la nature ou aux règles du marché.

Lors de la dernière finale de Coupe Davis de tennis, la France était opposée à la Suisse. Pour l'emporter dans ce tournoi, il faut gagner trois des cinq matchs. Après avoir perdu son duel contre Gaël Monfils, Roger Federer a répondu aux traditionnelles questions d'un journaliste. Le score était alors de un partout entre la France et la Suisse. Toujours fair-play, Roger Federer a commencé par saluer la qualité de jeu exceptionnelle de son adversaire. Puis il a ajouté une petite phrase, que personne n'a vraiment remarquée : « *J'ai perdu mais je sais ce que je voulais savoir.* » Parlait-il de son mental, de la nature du terrain, de la rapidité des balles, de la réactivité du public, de ses capacités physiques après sa récente blessure ? Personne ne le sait. Ce qui est certain, c'est qu'il a profité de la défaite pour « *savoir ce qu'il voulait savoir* ». Il a ensuite gagné ses deux matchs, l'un en simple, l'autre en double accompagné de Stanislas Wawrinka, permettant à la Suisse d'éliminer la France et de gagner la Coupe Davis. Ce matin-là, en entendant la phrase sibylline de Roger Federer, j'ai trouvé que le numéro un mondial avait un petit air stoïcien.

Nelson Mandela, en revenant sur son histoire à la fois tragique et exemplaire, ne disait pas autre chose : « *Je ne perds jamais, je gagne ou j'apprends.* »

En nous invitant chaque jour un peu plus à devenir stoïciens, nos échecs peuvent aussi nous apprendre à ne plus nous complaire dans le sentiment de l'injustice. Marc Aurèle a rencontré, en tant qu'empereur, bien des obstacles et des déconvenues. Mais pour lui, l'échec n'est ni juste ni injuste. La sagesse stoïcienne prône l'indifférence à ces sentiments trop humains. Les forces du cosmos ne sont ni justes ni injustes : elles sont, c'est tout. Il va falloir faire avec, et même jouer avec. Tenter d'inscrire son action dans la danse de ses forces. Le destin n'est ni juste ni injuste car il est plus qu'humain. Le juste et l'injuste ne sont que des interprétations humaines. Se plaindre du réel, c'est le fuir, se réfugier dans un jugement subjectif qui n'apporte rien.

Même sans croire aux forces du cosmos ou au destin, nous pouvons garder des stoïciens cette idée que le sentiment d'injustice n'apporte rien. Pire : qu'il peut entraver notre action ou notre réaction. Nous avons cette liberté de ne pas ajouter au réel, à la difficulté ou à l'échec, cet inutile sentiment d'injustice. La vie est juste la vie, c'est bien assez : elle n'a pas besoin d'être juste pour être digne d'être vécue.

Les thérapeutes, psychologues ou psychanalystes confirment d'ailleurs que les patients commencent à aller mieux lorsqu'ils cessent de se considérer comme des victimes d'une injustice, le jour où ils commencent à accepter leur vie telle qu'elle est, à dire « c'est comme ça ». Non pas un « c'est comme ça » aigre et plein de ressentiment. Mais un « c'est comme ça » riche d'autorité et de courage, un « c'est comme ça ! » qui claque, traversé par une force de vie. Non plus « *c'est comme ça, je n'ai vraiment pas de chance* », mais « *c'est comme ça : à moi de faire avec et de bâtir dessus* ». C'est comme ça, le réel est ainsi fait : ce ne serait pas la moindre des vertus de l'échec que de nous donner cette force, proprement stoïcienne, d'affirmation de ce qui est, et qui ne dépend pas ou plus de nous.

Ray Charles a perdu la vue à 7 ans et sa mère à 15. Auparavant, il avait assisté à la mort par noyade de son jeune frère. « *J'avais le choix*, raconte-t-il, *m'installer au coin d'une rue avec une canne blanche et une sébile ou tout faire pour devenir musicien.* » Affirmation purement stoïcienne, qui fait résonner ce mot d'Épictète : « *Ce qui dépend de toi, c'est d'accepter ou non ce qui ne dépend pas de toi.* » Le simple fait qu'il affirme « *j'avais le choix* » est déjà révélateur. Ray Charles n'a pas gâché ses forces en se plaignant de son sort. Il a accepté cette cécité qui ne dépendait pas de lui pour s'employer à devenir ce musicien et chanteur de génie à qui l'on doit *What'd I Say*, *Hit the Road Jack* ou encore *Georgia on my mind.* Il a su accepter, en pur stoïcien, la différence entre ce qui ne dépendait pas de lui (la perte de sa mère, de son frère et de la vue) et ce qui dépendait de lui (développer son talent, compenser sa cécité par une mémoire prodigieuse). Peut-être même a-t-il été porté par cette force d'acceptation pour devenir Ray Charles. « *Je suis aveugle, mais on trouve toujours plus malheureux que soi, j'aurais pu être noir !* », a-t-il plaisanté un jour avec un journaliste. Ray Charles fut capable, devant l'adversité, de ce grand « c'est comme ça » débarrassé de toute résignation, plein de vie, d'humour, de joie de vivre. Il ne s'est pas dit « c'est injuste ». Il a dit oui à la réalité, un oui qui ressemble au « grand oui à la vie » du Zarathoustra de Nietzsche. La même manière de consentir à ce qui est. Le même geste stoïcien : ne pas déplorer ce qui ne peut être changé, tout faire pour changer ce qui peut l'être. Ainsi, l'acceptation stoïcienne n'est en rien une résignation. Elle est une affirmation, une approbation de ce qui est. Face à un échec comme face à une épreuve, la question n'est pas de savoir si c'est juste ou injuste, mais si nous pouvons ou non en tirer une sagesse. Si nous pouvons nous appuyer dessus pour construire autre chose.

« *Si tu peux voir détruit l'ouvrage de ta vie*
Et sans dire un seul mot te mettre à rebâtir,
Ou perdre en un seul coup le gain de cent parties
Sans un geste et sans un soupir »…

Ainsi s'ouvre le fameux poème de Rudyard Kipling, *If*, qui s'achève par « *Tu seras un homme, mon fils* ».

Ces vers sont pleins, eux aussi, de cette sagesse stoïcienne : il faut savoir perdre pour devenir un homme. Perdre et se mettre à rebâtir. La protestation contre le réel est vaine. Pire : elle est contre-productive. Elle nous prend de notre force si utile pour reconstruire. Elle nous détourne du réel. « *Ni rire, ni pleurer, comprendre* », écrivait déjà Spinoza, dans l'*Éthique*, avec des accents stoïciens.

Il y a de cela dans ce poème de Kipling. « *Sans dire un seul mot, te mettre à rebâtir* » : sans dire que c'est injuste, sans ajouter au réel une couche de plainte. « *Sans un geste et sans un soupir* » : avec la force stoïcienne de celui qui sait qu'il est au milieu du cosmos, tout petit, qu'il ne changera pas l'ordre des choses, mais qu'il lui appartient de savoir jouer de ce qui est plus fort que lui.

L'échec, lorsqu'il est là, ne dépend plus de nous. Seule dépend de nous la manière de le vivre. Nous pouvons pleurer sur notre sort « injuste ». Ou voir l'échec comme une chance de rencontrer le réel, une invitation à devenir chaque jour un peu plus stoïcien. Ray Charles avait raison : nous avons le choix.

7

L'échec comme chance de se réinventer
– *une lecture existentialiste* –

> « *Quand vous jouez une note, seule la suivante permettra de dire si elle était juste ou fausse.* »
>
> MILES DAVIS

« *L'existence précède l'essence* » : cette affirmation de Sartre semble compliquée, mais elle ne l'est pas. Elle signifie simplement que nous sommes libres d'exister, de nous inventer et de nous rectifier dans le temps de notre vie, au fur et à mesure de notre histoire. Que c'est précisément cette histoire qui est première, non une « essence » qui serait par exemple ce que Dieu a voulu que nous soyons, ou ce que notre génome ou notre classe sociale nous déterminerait à être. Par cette affirmation, qui est au cœur de sa philosophie existentialiste, Jean-Paul Sartre appartient à la catégorie des philosophes du devenir. Nietzsche aussi lorsque, dans *Ainsi parlait Zarathoustra,* il reprend l'injonction de Pindare : « *Deviens ce que tu es.* » Pour y parvenir, pour réussir à affirmer sa singularité, il faut en effet souvent le temps d'une vie. Il faut l'aventure et les épreuves, oser sortir du confort de l'habitude.

Ces philosophes du devenir s'opposent aux philosophes de l'essence, qui mettent l'accent moins sur l'histoire de l'individu que sur sa vérité immuable, sur ce que les chrétiens appellent « l'âme », Leibniz la « substance » ou Descartes le « moi ». Cette opposition remonte en fait aux premiers temps de la philosophie, à ces sages d'avant Socrate, nommés « présocratiques » : à Héraclite et à Parménide. D'un côté Héraclite, penseur du devenir qui use de la métaphore du fleuve pour symboliser le mouvement universel : « *On ne se baigne jamais deux fois dans le même fleuve.* » De l'autre Parménide, penseur de l'essence, qui définit Dieu comme « *l'Un immobile et éternel* ». Dans notre tradition, Parménide l'a emporté sur Héraclite. Les héraclitéens, comme Nietzsche ou Sartre, sont minoritaires. Les philosophes majeurs – Platon, Descartes, Leibniz… – sont quasiment tous parménidiens : ils croient en l'essence plus que dans le devenir. C'est un problème pour penser la vertu de l'échec. Si nos échecs peuvent nous aider à devenir, il peut en effet être dangereux d'y voir une révélation de notre « essence ». C'est parce que nous croyons que l'échec nous délivre une réponse sur ce que nous *sommes* que nous le vivons mal. Voir l'échec autrement, c'est penser qu'il nous pose une question sur ce que nous pourrions devenir. Croire que l'échec peut nous aider à rebondir, à nous réorienter, à nous réinventer, c'est prendre le parti d'une philosophie du devenir ; c'est choisir Héraclite contre Parménide.

Or, nos échecs peuvent avoir pour vertu de nous rendre disponibles, de favoriser un changement de voie, une bifurcation existentielle qui s'avérera heureuse. Leur sens se joue parfois dans cette direction nouvelle qu'ils insufflent à notre vie. C'est une autre vertu de l'échec : il ne rend pas forcément plus sage, plus humble ou plus fort, mais tout simplement disponible pour autre chose.

Si Charles Darwin n'avait pas échoué successivement dans ses études de médecine et de théologie, il n'aurait jamais embarqué pour ce voyage au long cours si décisif dans sa vocation de savant, et dans sa compréhension des mécanismes de l'évolution.

Le jeune Charles Darwin a commencé par un cursus de médecine en Écosse parce que son père, médecin lui-même, voulait qu'il marche dans ses pas. Révolté par les méthodes brutales des chirurgiens, trouvant les cours théoriques ennuyeux, il a tenu un temps en observant les oiseaux par la fenêtre puis a fini par quitter la faculté. Il s'est ensuite inscrit au Christ's College de Cambridge pour y recevoir un enseignement de théologie dans le but de devenir pasteur anglican. Mais incapable de s'intéresser à cet enseignement, préférant monter à cheval ou collectionner les coléoptères qu'écouter des sermons sur Dieu, il a interrompu une nouvelle fois son cursus. Deux échecs successifs qui ne lui ont rien appris d'essentiel sur le corps humain ou sur la vérité de Dieu, mais qui l'ont rendu disponible pour une aventure qu'il n'aurait jamais tentée autrement. Darwin a décidé de s'embarquer sur un navire, pour deux ans. Les sirènes du *Beagle* ont retenti dans le port de Woolwich, sur la Tamise. C'est là que tout a commencé. Sa vocation est née durant ce voyage, en observant les espèces que le navire croisait. Voilà ce que ces lycéens tétanisés à l'idée de s'engager dans une voie devraient savoir. Ils devraient tous lire *Journal de bord du voyage sur le* Beagle de Charles Darwin.

Avant de commencer à écrire le premier volume des aventures de Harry Potter, Joanne Rowling, qui ne s'appelait pas encore J.K. Rowling, avait connu un double échec, sentimental et professionnel. Quittée par son mari, ayant perdu son poste chez Amnesty International, elle s'est retrouvée à Édimbourg, sans revenu, avec sa fille en bas âge. Si elle n'avait pas eu sa sœur pour l'héberger, elle se serait retrouvée à la rue. Meurtrie par un violent sentiment de ratage existentiel, elle racontera plus tard, bien après le succès phénoménal des aventures de Harry Potter, que c'est en touchant le fond qu'elle a trouvé une nouvelle fondation. Dans sa vie d'avant, les contraintes croisées du salariat et de la famille l'avaient conduite à mettre en sourdine sa vocation d'écrivain. Tout au plus lui accordait-elle parfois un peu de temps, à l'heure du déjeuner, avant de retourner en réunion. Elle changea alors de regard sur son échec et commença à le voir comme l'occasion de changer de vie. Les choses ne furent pas simples pour autant. Sans ressources pour faire garder sa fille, elle ne pouvait écrire que sur les temps de sieste et la nuit. Dans les pubs d'Édimbourg, on prit l'habitude de voir cette jeune mère aux traits fatigués noircir des carnets tout en surveillant, dans le landau à ses côtés, sa petite fille endormie. Les habitués de The Elephant House, où elle écrivait régulièrement, pensaient même qu'elle venait travailler ici parce qu'elle n'avait pas le chauffage chez elle. Peu avant son divorce, elle avait perdu sa mère, victime d'une sclérose en plaques. Son personnage principal s'imposa de lui-même : un jeune apprenti sorcier qui souffrait, lui aussi, de l'absence de parents disparus. Le livre terminé, elle proposa les premiers chapitres à un agent, qui les lui retourna aussitôt. Elle en trouva un autre, avec lequel ils essuyèrent une douzaine de refus d'éditeurs. Lorsqu'elle fut enfin publiée et rencontra le succès que l'on sait, elle comprit que ce qu'elle avait d'abord pris pour un échec cuisant l'avait en fait aiguillée vers une voie qui lui correspondait plus, mais dont sa vie d'avant, en apparence plus « réussie », l'avait en vérité détournée.

Si Serge Gainsbourg avait été le peintre qu'il ambitionnait de devenir, il n'aurait jamais composé toutes ces mélodies pour Brigitte Bardot, Juliette Gréco, France Gall, Isabelle Adjani ou Jane Birkin. On oublie souvent la crise qu'il a traversée lorsque, détruisant toutes ses toiles, il s'est détourné de son rêve de peintre pour se consacrer à cet « art mineur » qu'était pour lui la chanson. Peintre aux côtés d'André Loth ou de Fernand Léger, jouant ou composant de la musique pour des raisons alimentaires, il eut d'abord les plus hautes ambitions avant de renoncer, comprenant qu'il ne pourrait vivre de sa peinture « avant 50 ans ». C'est ce renoncement, très mal vécu, qui lui a permis de se consacrer à la musique. Non seulement son échec comme peintre l'a rendu disponible pour la chanson, mais il l'a probablement en plus délivré. Comparé à la peinture, qu'il plaçait au-dessus de tout, « l'art mineur » de la chanson était pour lui sans enjeu véritable. Jeune peintre figuratif au temps de l'art abstrait, il s'était infligé une pression maximale : être un génie ou rien. Il adopta comme compositeur et chanteur une attitude opposée. Il fit la musique du moment, changea de style avec les époques et composa pour les autres en cherchant à faire des tubes, sans jamais se départir de son sentiment d'échec existentiel. Mais c'est précisément grâce à ce relâchement qu'il exprima tout son talent. Son cas est donc un peu différent de ceux de Charles Darwin ou de J.K. Rowling : si l'échec lui a bien permis de changer de voie, il lui a aussi donné une forme de détachement, certes rehaussé d'une pointe d'amertume, qui donnera une note particulière à ses compositions et fera son succès. Son échec comme peintre participe ainsi doublement de ses succès d'auteur-compositeur interprète.

Dans un petit livre culte – *Le Zen dans l'art chevaleresque du tir à l'arc* –, Eugen Herrigel explique que c'est au moment où il est enfin parfaitement relâché que le tireur atteint sa cible, une once de crispation suffisant à le faire échouer. « *Le coup n'a l'aisance requise que lorsqu'il surprend le tireur lui-même* », écrit-il avant de préciser : « *Ce qui pour vous est un obstacle, c'est votre volonté trop tendue vers une fin.* »

Serge Gainsbourg composant pour France Gall *Poupée de cire poupée de son* en 1965, et remportant l'Eurovision avec cette chanson rapide, ressemble à un tel tireur : excellent parce que détaché. Et détaché parce que délivré de l'obsession d'être le nouveau Van Gogh. Il suffit d'écouter *Vieille Canaille* ou *Des vents des pets des poums* pour entendre que, en effet, Serge Gainsbourg n'a pas abordé la chanson comme il avait abordé la peinture. Il suffit d'écouter *La Javanaise* ou *La Chanson de Prévert* pour comprendre que l'échec du peintre Gainsbourg, contrairement à ce qu'il a parfois prétendu, ne l'a pas enfermé dans un destin de raté. Il l'a libéré.

D'abord perçus comme des culs-de-sac, certains échecs sont *in fine* moins des impasses que des carrefours. En découvrant ces parcours de vie, on songe à la métaphore du rocher que développe Sartre dans *L'Être et le Néant* : « *Tel rocher qui manifeste une résistance profonde si je veux le déplacer sera, au contraire, une aide précieuse si je veux l'escalader pour contempler le paysage.* » Parce que nous existons dans le temps et pouvons poser de nouvelles finalités à notre action, nous avons le pouvoir, écrit Sartre quelques lignes plus loin, de faire de l'« *obstacle* » du rocher un « *auxiliaire* » pour un projet nouveau. C'est souligner la force de notre esprit, de notre représentation. Le concept central de l'existentialisme sartrien est le « *projet* ». Exister, ce n'est pas jouir d'une vérité fixe et éternelle : c'est se projeter sans cesse dans l'avenir. Rencontrant la barrière de l'échec, nous pouvons changer notre manière de nous projeter et en faire un panneau d'indication.

À San Francisco, en 2009, se tint la première de ces grandes conférences internationales sur l'échec, devenues depuis incontournables dans la Silicon Valley. Le principe de ces « *failcon* » (de « *fail* » pour échec et « *con* » pour conférence), dont les vidéos sont partagées massivement sur Internet, est de faire témoigner des entrepreneurs ou des sportifs sur ce qu'ils doivent à leurs échecs. Ils y racontent comment leurs ratés les ont éveillés, réveillés, nourris ou portés, jusqu'à les aiguiller vers l'idée qui fera leur succès, vers une voie qu'ils n'avaient au début même pas envisagée. Ces conférenciers qui relatent leur expérience ont souvent l'âge qu'avaient leurs aînés quand ils finissaient tout juste leurs études et n'avaient aucune expérience. Il suffit d'écouter quelques-unes de ces interventions pour comprendre combien les mutations de l'économie numérique, et avec elles le nouveau type d'entrepreneurs qu'elles imposent, portent une valorisation inédite de l'échec, et de la capacité de se réinventer à son contact.

L'agacement peut être légitime devant certains aspects de ces *failcon* : formatage de la prise de parole, psychologie outrageusement positive, *happy end* obligatoire. Ceux qui viennent ici témoigner de leurs échecs en parlent en effet toujours au passé… Reste que, dans ces conférences qui ont maintenant lieu en France mais sans y rencontrer le même succès, on y découvre des histoires, des parcours pleins de rebondissements, de bifurcations, de carrefours. Des hommes et des femmes qui ne se définissent pas par ce qu'ils sont mais par ce qu'ils ont fait, qui ne mettent pas en avant la qualité de leur intention première mais leur sens de l'adaptation ou de la réinvention. À croire parfois qu'ils ont tous lu Sartre qui écrit dans *L'existentialisme est un humanisme* : « *Un homme n'est que la somme de ses actes.* »

Par cette idée, l'existentialiste français s'opposait à la philosophie de l'intention de Kant, pour qui la valeur d'un être se mesure à la qualité de son intention. Écoutant tous ces entrepreneurs raconter la manière dont leurs déconvenues leur ont ouvert les yeux, les ont portés vers de nouveaux projets, on comprend mieux pourquoi la « psychanalyse existentialiste » inventée par Sartre a rencontré plus d'écho aux États-Unis qu'en France. Il y proposait une étrange forme de psychanalyse, anti-freudienne, reposant sur l'idée qu'il est inutile d'inviter le sujet à mesurer le poids de son passé, le déterminisme inconscient de son histoire familiale. Il vaut mieux travailler avec lui sur la multiplicité de ses projets possibles, chercher celui qui pourra redonner des couleurs à son présent.

Nombreux sont les entrepreneurs qui ont utilisé l'échec comme une occasion de bifurquer. Le dirigeant français Jean-Baptiste Rudelle a donné une de ces *failcon* pour raconter l'histoire du succès fracassant de sa société Critéo. Tout a commencé dans l'arrière-boutique d'une saladerie parisienne. Son idée de départ était de créer un système de recommandation de films et d'articles de blogs. Mais l'échec de sa start-up l'a conduit à utiliser la technologie mise en œuvre dans une direction totalement autre : vendre de la publicité ciblée sur Internet. Critéo est passée en quelques années d'une arrière-boutique dans le XIIIe arrondissement de Paris à son introduction sur le Nasdaq à Wall Street, où elle est aujourd'hui valorisée à 2,41 milliards de dollars. Le talent de son créateur a été de reconnaître ce qui ne marchait pas et d'en tirer une impulsion pour changer complètement de vision, se projeter autrement dans l'avenir.

De même, ce sont souvent des échecs en tant que salarié qui ouvrent la voie de l'entrepreneuriat. La candidature du Japonais Soichiro Honda fut refusée lors de son entretien d'embauche pour un poste d'ingénieur chez Toyota. S'ouvrit alors une longue période de chômage au cours de laquelle il eut l'idée de fabriquer lui-même des scooters et de les commercialiser : Honda était né.

Être existentialiste, c'est penser qu'une vie ne suffira de toute façon pas à épuiser tous les possibles. Reste à ne pas trop passer à côté d'eux. La mort est d'autant plus un scandale que la vie est pensée non comme essence ou valeur éternelle, mais comme « projet ». Être existentialiste, c'est redouter que le succès dans une voie ne nous y enferme, et nous conduise jusqu'au terme de notre vie sans savoir qui nous sommes. Contre la vision habituelle, c'est valoriser l'échec comme ouverture du champ des possibles : échouer plus, finalement, c'est exister davantage.

L'itinéraire de Jean-Christophe Rufin offre une belle illustration de cette thèse en apparence paradoxale. Il aurait d'ailleurs pu donner une superbe *failcon*, qui aurait surpris tous ceux qui nous présentent son parcours comme une succession linéaire de réussites.

D'abord médecin hospitalier, il a fondé Médecins sans frontières puis dirigé Action contre la faim. Devenu ambassadeur de France au Sénégal puis en Gambie, il a rencontré avec ses livres un large public, obtenant même le prix Goncourt pour *Rouge Brésil* en 2001. Reçu à l'Académie française en 2008, il en devint le plus jeune membre. Plus récemment, il connut un succès considérable avec le récit de son voyage à Compostelle, *Immortelle Randonnée : Compostelle malgré moi.* Il pourrait se dégager de cette énumération l'impression qu'il a transformé en or tout ce qu'il a touché. La réalité est autre. Chaque fois, il a changé de voie à l'occasion d'un échec ou d'une déception. C'est parce qu'il avait compris qu'il n'était plus possible, dans le système hospitalier d'aujourd'hui, d'être médecin au sens où lui voulait l'être qu'il s'est tourné vers l'humanitaire. C'est parce qu'il a été l'un des premiers à saisir certaines impasses de l'action humanitaire qu'il s'est réorienté vers la politique. C'est parce qu'il s'est heurté à son incapacité à évoluer dans un monde politique fait de contraintes, de réseaux et de langue de bois qu'il s'est consacré à l'écriture. Et lorsque, écrivain, il cumula toutes les reconnaissances – prix Interallié, prix Goncourt, Académie française… –, il ressentit encore le besoin de marcher vers Compostelle pour s'alléger un peu, ne pas tomber dans « *l'enflure de l'être* », dans cet enfermement dans une essence dont parle Sartre.

Lorsque ses musiciens avaient peur de mal faire, Miles Davis entrait parfois dans des colères froides. Il leur rappelait de sa voix grave qu'il n'y a pas de pire erreur que de vouloir n'en commettre aucune. Le créateur de *Birth of the Cool* et de *Kind of Blue*, qui a sans cesse réinventé sa propre musique, avait cette formule géniale : « *Quand vous jouez une note, seule la suivante permettra de dire si elle était juste ou fausse.* » Résumé fulgurant de la sagesse existentialiste de l'échec : il n'existe pas de fausse note dans l'absolu. Le jazzman a la liberté d'en faire une belle dissonance, de la réinsérer dans le mouvement général du morceau, dans l'histoire qu'il raconte, dans le rythme de sa musique. Sartre aimait d'ailleurs le jazz. Dans *La Nausée*, les rares moments où Roquentin s'arrache à son mal-être sont des instants d'émotion musicale. Notre existence est comme un morceau de jazz. Croire que la fausse note existe dans l'absolu, c'est faire comme si le temps n'existait pas. C'est oublier que nous naviguons sur le fleuve du devenir, non dans le ciel des idées éternelles.

8

L'échec comme acte manqué ou heureux accident
– une lecture psychanalytique –

> « *Dans tout acte manqué, il y a un discours réussi.* »
>
> JACQUES LACAN

L'échec comme acte manqué

À quoi Charles Darwin aspirait-il vraiment ? À être médecin comme son père ou à ouvrir, en pionnier, une route nouvelle dans l'histoire de la science ? Son échec en médecine ne lui permit-il pas d'atteindre son véritable but ? Mais alors, n'est-ce pas qu'il a « désiré » son échec ?

Soichiro Honda fut d'une médiocrité confondante lors de son entretien d'embauche pour ce poste d'ingénieur chez Toyota. Ses réponses furent ternes, indignes de lui, mais elles lui permirent de réussir à accomplir son désir profond, dont il n'avait alors nulle conscience : fonder son entreprise. Il est tentant d'y voir, avec le recul, un acte manqué au sens de la psychanalyse freudienne : un acte qui est en même temps raté et réussi. Raté du point de vue de l'intention consciente. Réussi du point de vue du désir inconscient. L'acte manqué, dit en substance Freud, c'est l'inconscient qui réussit à s'exprimer. Dans le lapsus, qui est un acte manqué langagier, nous échouons à formuler ce que nous voulions exprimer, tandis que notre inconscient, lui, se manifeste avec succès. La logique est la même, qui nous invite à soupçonner la force de désirs secrets derrière nos actes comme nos paroles. Et derrière nos ratés, l'efficacité d'une stratégie inconsciente.

Pour bien comprendre à quel point nos échecs peuvent exprimer des désirs inconscients, il faut revenir sur la manière dont Freud a révolutionné la conception du sujet humain, en montrant que sa vie psychique était éclatée en trois « lieux », qu'il nomme « topiques » : le « moi », le « ça » et le « surmoi ». « *Le moi n'est pas maître dans sa propre maison* », prévient-il. La souveraineté du « moi » conscient est en effet doublement menacée : par « en dessous » et par « au-dessus ». Par en dessous : par l'énergie psychique inconsciente du « ça », par toutes ces pulsions refoulées depuis l'enfance, et qui cherchent à faire retour. Par au-dessus : par les injonctions tyranniques du « surmoi », idéal social et moral du moi qui est, lui aussi, en grande partie inconscient. L'inconscient est donc une énergie active, dynamique, qui cherche à se manifester, et profite au besoin de l'acte manqué pour le faire. Cette énergie peut être aussi bien celle du « ça » que celle du « surmoi ». À travers nos actes manqués, nous pouvons exprimer de l'agressivité refoulée tout autant que de belles ambitions que nous ne nous avouons pas. Un mari « rate » son geste tendre et heurte la joue sa femme. Si c'est un acte manqué, c'est ici son « ça » qui réussit à se satisfaire : cet homme avait le désir inconscient de faire mal à sa femme. Mais s'il échoue lors d'un entretien d'embauche parce qu'il aspire à beaucoup mieux que ce poste, alors c'est plutôt son « surmoi » qui se manifeste. Dans les deux cas, il y a échec et réussite en même temps – simultanéité, précise le fondateur de la psychanalyse, d'un déplaisir conscient et d'une jouissance inconsciente.

Nous nous plaignons souvent de schémas de répétition. Nous continuons à faire des choses qui nous déplaisent et nous étonnons de ne pas réussir à les changer. C'est que, malgré le déplaisir conscient, nous en retirons une jouissance inconsciente. Un acte manqué relève de cette logique, que résume le psychanalyste Jacques Lacan : « *Dans tout acte manqué, il y a un discours réussi.* » Ce discours réussi est celui de l'inconscient, qui demande à être interprété, déchiffré.

Michel Tournier a échoué plusieurs fois à l'agrégation de philosophie. La répétition de cet échec lui a fait mal. Mais il est ensuite devenu l'un des plus grands romanciers français du XXe siècle, auteur de classiques comme *Vendredi ou la vie sauvage* ou *Le Roi des Aulnes* qui lui vaudra, en 1970, le prix Goncourt à l'unanimité. Nous pourrions simplement penser que son échec dans la philosophie universitaire l'a réorienté vers sa réussite de romancier, qu'il n'aurait jamais eu le temps ni même l'envie d'écrire *Le Roi des Aulnes* s'il avait obtenu l'agrégation de philosophie et était devenu universitaire. Mais nous pouvons aussi faire l'hypothèse que son véritable désir était d'être un romancier populaire, non un universitaire, et que ces échecs répétés à l'agrégation de philosophie sont autant d'actes manqués.

Les psychologues proposent d'ailleurs, pour nous aider à surmonter nos échecs, un exercice inspiré de cette idée d'acte manqué : « *Ne voyez plus votre échec comme un accident : regardez-le comme s'il manifestait une intention cachée.* » Le résultat est souvent surprenant : la situation surgit sous un jour complètement neuf. Évidemment, nous pouvons avoir du mal à accepter ce qui se dévoile, mais c'est le propre de l'inconscient : nous ne voulons pas le savoir. Nous ne voulons pas voir le « ça ». L'échec, lorsqu'il est un acte manqué, nous demande d'ouvrir les yeux. Et s'il se répète, c'est peut-être que nous persévérons à les maintenir fermés.

La psychanalyse nous dit ainsi qu'il est des échecs qui sont en même temps des réussites. Elle nous dit aussi le contraire : il est des succès qui sont en fait des échecs, lorsqu'ils s'accompagnent d'une infidélité à nous-mêmes dont nous paierons un jour le prix. Une telle trahison de soi peut conduire à la dépression, qui est une autre forme d'échec pouvant être interprété comme un acte manqué.

Pierre Rey était un directeur de journaux, de *Marie-Claire* notamment, et un auteur de best-sellers comme *Le Grec* ou *Bleu Ritz*. Au faîte de la richesse et du succès, il tomba dans une dépression sévère : incapable de travailler, d'aimer, d'assumer ses responsabilités, puis très vite de dormir et même de manger. Il avait eu tout ce qu'il voulait, était entouré des plus belles femmes, d'amis généreux, passait sa vie dans les palaces. Alors pourquoi cette dépression ? Il commença une longue psychanalyse avec Jacques Lacan, qu'il relate dans son récit *Une saison chez Lacan*. Au fil des séances, il comprit que ces succès l'avaient en fait éloigné de son désir profond, qui était de produire un vrai livre. Non pas un gros roman de plage comme ceux qu'il pondait pour alimenter la machine à succès, mais un véritable livre, avec une écriture, un style, un propos. Un livre qui ne soit pas simplement distrayant, mais qui aide le lecteur à vivre, qui ajoute une pierre, même petite, à l'édifice de la sagesse humaine. Ses succès faciles, dans la presse, les rayons des librairies ou même les salles de casino, l'avaient en fait détourné de sa voie. La dépression avait donc une fonction : lui montrer son désir trahi. L'obliger à arrêter de « réussir », et même à s'arrêter tout court, pour retrouver enfin la voie de son désir. Devenu incapable de travailler parce que trop déprimé, hanté par le sentiment d'une existence vaine, il se rapprocha au fil des mois de cette quête intime que l'ivresse du succès lui avait fait négliger. De manière émouvante, le livre que nous avons entre les mains est la preuve qu'il est redevenu fidèle à lui-même : *Une saison chez Lacan* est en effet un excellent livre, une belle réflexion sur la psychanalyse, le désir, le difficile métier de vivre. C'est d'ailleurs l'ouvrage de lui qui est resté, quand plus personne ne lit ses gros best-sellers. Il aura donc fallu qu'il échoue et souffre d'une dépression pour retrouver le chemin de son désir : qu'il le trahisse pour pouvoir s'en rapprocher. Son échec existentiel fut un acte manqué : par lui, son aspiration profonde réussit à s'exprimer.

Ces réflexions sur l'acte manqué et la dépression nous permettent de souligner un excès de la vision anglo-saxonne de l'échec. L'échec y est souvent présenté comme pouvant être surmonté par une simple persévérance, une pure puissance de la volonté. C'est oublier que la première vertu de l'échec est de nous rappeler les limites de notre pouvoir. Affirmer que « *quand on veut, on peut* » est une bêtise en même temps qu'une insulte à l'égard de la complexité du réel. Il arrive même que nous échouions parce que nous avons trop « voulu », et pas assez questionné ce à quoi nous aspirons : la dépression vient alors indiquer que la volonté est devenue folle, qu'elle veut toute seule, indépendamment de ce que le sujet désire vraiment. Elle impose au sujet d'arrêter de vouloir pour redevenir capable d'entendre son désir. Réussir sa vie, ce n'est pas vouloir à tout prix : c'est vouloir dans la fidélité à son désir. L'échec peut être cet acte manqué qui nous rapproche d'une telle fidélité.

L'échec comme heureux accident

Que des échecs soient des réussites, c'est ce dont témoignent aussi, dans le champ de l'industrie, tous ces produits qui furent de parfaits ratés avant de devenir des produits phares. L'histoire de ces heureux accidents – actes manqués au sens propre – illustre à sa manière combien un échec peut être en même temps une réussite.

L'exemple le plus connu est celui des sœurs Tatin, qui tenaient à Lamotte-Beuvron un restaurant prisé par les chasseurs. L'une des sœurs se rendit compte qu'elle avait oublié la pâte dans sa tarte aux pommes. Elle n'avait disposé dans son moule que des pommes et du sucre, avait lancé la cuisson et devait maintenant servir le dessert. L'idée jaillit alors : elle ouvrit le four, déposa la pâte par-dessus les pommes et la laissa cuire quelques minutes. Les chasseurs adorèrent cette tarte croustillante et caramélisée. Échouant dans sa recette, elle venait d'inventer la tarte Tatin – une tarte aux pommes manquée.

De même pour la découverte du Viagra : des chercheurs du laboratoire Pfizer voulaient traiter les angines de poitrine avec une substance chimique, le citrate de sildénafil, mais ils manquèrent leur but. La substance ne produisit pas l'effet escompté, mais un effet secondaire inattendu : de fortes érections. Ils avaient échoué à soigner l'hypertension artérielle pulmonaire, mais venaient de découvrir le remède à l'impuissance que les hommes cherchaient depuis des siècles.

Le cas des *pacemakers*, moins connu, est tout aussi lumineux. À l'origine, à l'université de Buffalo dans l'État de New York, un ingénieur voulait créer un appareil destiné à enregistrer les battements du cœur. Cherchant une résistance, il plongea sa main dans son stock de composants électriques, mais se trompa de modèle. L'appareil n'enregistra donc pas les battements cardiaques, mais émit des impulsions électriques. Il se demanda alors si ces impulsions ne pouvaient pas avoir un effet d'entraînement sur le cœur. Le *pacemaker* venait d'être inventé. Il sera commercialisé cinq ans plus tard. Cet enregistreur manqué sauvera des milliers de vies.

Nous vivons entouré d'objets, consommons quantité de produits qui sont des enfants de l'échec sans même que nous le sachions. Les machines Nespresso ont envahi nos cuisines, révolutionné notre façon de boire du café – un succès planétaire associé à l'image de Georges Clooney demandant, une petite tasse entre les doigts, « *what else ?* ». Pourtant, Nestlé a d'abord essuyé un premier échec en tentant de vendre aux restaurants ces machines automatiques permettant de servir des espressos de qualité. Ils ont alors eu une nouvelle idée : viser le marché des employés de bureau plutôt que les restaurants. Ce fut un nouvel échec, plus massif et coûteux que le premier. L'idée de commercialiser des machines à capsules faillit être abandonnée. Nestlé donna finalement une dernière chance à ce produit en le proposant aux ménages. C'est en manquant deux fois leur cible que les cafetières Nespresso rencontrèrent leur public.

Il y a tant d'autres exemples de succès enfantés par l'échec : le champagne qui fut d'abord un accident de cuve, un vin manqué, trop sucré et acide, l'Orangina provenant d'un résidu de pulpe dont les fabricants ne réussissaient pas à se débarrasser, mais aussi le pain d'épice, le Velcro, les Post-it ou même les « bêtises » de Cambrai qui, comme leur nom l'indique, ont été inventées à l'occasion d'une erreur du fils du confiseur – autant d'actes manqués qui furent aussi de bonnes trouvailles.

*

Le concept de sérendipité, traduit de l'anglais « *serendipity* », désigne cette capacité à trouver ce que nous ne cherchions pas. Christophe Colomb ne voulait pas découvrir l'Amérique. Il aspirait à ouvrir une nouvelle route maritime vers les Indes ou la Chine. Il cherchait un chemin plus court que celui de Marco Polo, un raccourci. Il se trompa de 10000 km – « lumineuse erreur » qui le conduisit sur l'île de San Salvador, antichambre des Caraïbes, elles-mêmes antichambre du continent américain. L'Amérique comme la recette de la tarte Tatin ou le *pacemaker* ont été découverts par sérendipité.

Lorsque, sur le divan, un patient entend soudain le sens de l'un de ses actes manqués, de l'un de ses lapsus ou de l'un de ses rêves, c'est aussi par sérendipité. Ce n'est pas en cherchant qu'il trouve, mais en disant les choses comme elles viennent, en associant librement les idées. Ce n'est pas en voulant avec empressement comprendre le sens de son symptôme qu'il y parviendra.

Dans tous les cas, la sérendipité n'est possible que dans un relâchement, loin de toute crispation volontariste, dans un moment, même très bref, de lâcher prise. Cela vaut pour le patient sur le divan comme pour les sœurs Tatin ou l'inventeur du *pacemaker*. Il suffit alors, pour que l'échec devienne vertueux, d'accueillir ce qui vient. Nous n'avons aucun effort de la volonté à fournir. Pire, un tel effort pourrait nous priver de la vertu de l'échec. Pour les enfants du volontarisme occidental que nous sommes, ce n'est pas si facile à entendre.

9

Rater, ce n'est pas être un raté
– pourquoi l'échec fait-il si mal ? –

« La bonne nouvelle, c'est que l'homme est un pont et non une fin. »

FRIEDRICH NIETZSCHE

Confrontés à la douleur de l'échec, nous avons parfois l'impression que nous ne valons plus rien. Parce que nous vivons dans un pays où la culture de l'erreur est trop peu développée, nous confondons « avoir raté » et « être un raté ». Nous prenons l'échec de notre projet pour celui de notre personne. Au lieu de concevoir la place de ce raté dans notre histoire, qui a commencé avant lui et continuera après, nous l'absolutisons ; nous l'essentialisons. Bref, nous ne sommes pas assez existentialistes.

Reprenant la métaphore de Miles Davis, c'est comme si nous arrêtions la musique sur la « fausse note » et la repassions en boucle, sans lui donner la chance de trouver sa place, de résonner dans toute la durée du morceau. Comme si nous arrêtions le temps au pire moment.

Dans toute son œuvre, Sigmund Freud nous met en garde contre les effets d'une identification excessive – à la mère ou au père, au chef totalitaire comme à son échec personnel.

S'identifier trop longtemps à l'un de ses parents, c'est s'interdire de grandir, se complaire dans la régression. Un enfant se construit parce qu'il change régulièrement de figure d'identification : c'est dans ce « jeu » qu'il apprend à dire « je », à assumer sa singularité.

S'identifier à un chef totalitaire, comme Staline ou Hitler, c'est adhérer à sa vision ou à ses délires, abdiquer son sens critique jusqu'à risquer de devenir complice du pire.

S'identifier à son échec, c'est se dévaloriser jusqu'à se laisser gagner par le sentiment de la honte ou de l'humiliation.

Toute identification excessive comporte une dimension mortifère, une fixation. Or, la vie est mouvement. C'est cette vérité, héraclitéenne, que nous oublions lorsque nous nous focalisons sur notre échec.

Pour mieux vivre l'échec, nous pouvons déjà le redéfinir. L'échec n'est pas celui de notre personne, mais celui d'une rencontre entre un de nos projets et un environnement. Évidemment, il faut chercher à savoir pourquoi cette rencontre s'est mal passée. Peut-être étions-nous en avance sur notre temps, comme Steve Jobs lorsqu'il a lancé le premier Macintosh.

Peut-être notre projet comportait-il des défauts. Notre échec est alors bien « le nôtre », mais sans être celui de notre « moi ». Nous pouvons et devons l'assumer, mais sans nous identifier à lui.

Il est de toute façon difficile de définir ce que serait le noyau de ce « moi ». Dans le trouble de l'échec, nous avons parfois l'impression de ne plus savoir qui nous sommes. L'échec nous fait mal parce qu'il vient fissurer notre carapace identitaire, notre image sociale, l'idée que nous nous faisons de nous-mêmes. Nous ne nous reconnaissons plus. Comme un P.-D.G. qui dépose le bilan d'une entreprise jadis florissante ou un réalisateur de cinéma habitué aux premières places du box-office dont le nouveau film est déprogrammé des salles en une semaine, nous perdons soudain nos repères. Mais c'est peut-être une bonne nouvelle. Parfois, seule l'expérience de l'échec permet de mesurer combien cette identité sociale nous réduit, nous coupe de notre personnalité profonde, de notre complexité. Pour surmonter nos échecs, il faut donc aussi redéfinir le « moi » : non plus un noyau fixe et immuable, mais une subjectivité plurielle, toujours en mouvement.

« *La bonne nouvelle, c'est que l'homme est un pont et non une fin* », écrit Nietzsche dans *Ainsi parlait Zarathoustra.*

Existen, c'est vivre tendu comme un pont vers l'avenir, vers les autres, mais aussi vers ces dimensions de nous-mêmes que nous ne connaissons pas, vers ces chemins que nous n'avons pas encore empruntés, et que l'échec peut nous ouvrir. Nous souffrons davantage de nos ratés lorsque nous oublions cette vérité.

Enfin, si l'échec nous blesse tant, c'est parce qu'il est pensé par les philosophes majeurs de notre tradition occidentale de manière culpabilisante.

Descartes ou Kant n'ont pas consacré de livres à l'échec mais on trouve dans leurs œuvres des passages sur les causes de l'erreur ou les raisons de la faute.

Descartes présente l'homme comme cet être doué de deux facultés principales mal ajustées : un entendement limité et une volonté illimitée. Alors que notre entendement rencontre vite ses bornes, Descartes affirme que nous pouvons toujours vouloir plus. Pour ce croyant qu'est l'auteur du *Discours de la méthode*, c'est par la puissance de notre volonté que nous ressemblons à Dieu. Chaque fois que nous voulons, et croyons avoir atteint notre plafond, nous découvrons que nous pouvons vouloir encore. Pour Descartes, cette illimitation de notre volonté est la marque du divin en nous. Le *« quand on veut, on peut »* vient notamment de lui. Dans cette perspective, être humain revient à marcher sur deux jambes de taille inégale : une courte (notre entendement) et une très longue (notre volonté). Reconnaissons que la chose n'est pas aisée. Dès lors, que signifie « se tromper » selon Descartes ? C'est échouer à contenir notre volonté dans les limites de notre entendement. Lorsque, dans un dîner arrosé, nous racontons n'importe quoi, nous parlons au-delà de ce que nous savons : nous nous trompons parce que nous n'usons pas correctement de notre volonté. Cette volonté étant ce qui nous définit comme enfants de Dieu, se tromper revient à ne pas être à la hauteur de ce qu'Il nous a légué. « *Nous savons que l'erreur dépend de notre volonté* », assène Descartes dans les *Principes de la philosophie.* Difficile de faire plus culpabilisant.

Selon Kant, nous échouons à bien nous comporter lorsque nous ne savons pas écouter notre raison. Cette faculté, insiste-t-il, suffit à distinguer le Bien du Mal. Contre Rousseau, qui fondait la morale dans le cœur, la sensibilité, l'auteur de la *Critique de la raison pratique* voit dans notre raison l'origine de notre moralité. L'impératif moral n'a rien de compliqué. Il se résume ainsi : « *Agis toujours de telle sorte que la maxime de ton action puisse être érigée en loi universelle.* » Autrement dit, pour savoir si notre intention est bonne, il suffit de se demander comment fonctionnerait la communauté des hommes si tous appliquaient la même maxime d'action que nous. Par exemple, les hommes pourraient-ils vivre ensemble s'ils agissaient conformément à la maxime « toujours lutter contre son penchant naturel à la vengeance » ? Oui, ils vivraient même très bien. Il est donc moral de se comporter ainsi. N'importe qui peut comprendre ce raisonnement. Nous sommes pleinement responsables lorsque nous échouons à agir en êtres moraux.

Nos erreurs étaient, selon Descartes, imputables à un mauvais usage de notre volonté. Nos fautes, selon Kant, s'expliquent par une faiblesse de notre raison. Impossible, dans ces deux cas, de ne pas culpabiliser : chaque fois, notre faculté principale, le propre de notre humanité est mis en échec. L'erreur ou la faute deviennent des manquements impardonnables à l'essentiel. Échouer, selon Descartes ou Kant, c'est tout simplement échouer à être humain.

Nous sommes loin de la sagesse de Lao-tseu, père du taoïsme, affirmant dès le VIe siècle avant Jésus-Christ : « *L'échec est au fondement de la réussite*. »

10

Oser, c'est oser l'échec

> « *Impose ta chance*
> *Serre ton bonheur,*
> *Et va vers ton risque.* »
>
> RENÉ CHAR

À l'origine de toutes les belles réussites, on trouve une prise de risque, et donc une acceptation de la possibilité de l'échec. Oser, c'est d'abord oser l'échec.

En partant pour Londres, Charles de Gaulle a pris le risque du fiasco. En ayant l'idée de faire passer le téléphone, Internet et la télévision dans le même « tuyau », Xavier Niel a pris le risque de tout perdre. Chaque artiste, à l'heure de tenter quelque chose de neuf, accepte la possibilité de ne pas y parvenir. La beauté de son geste tient à cela.

Il est possible de vivre son existence entière sans jamais rien oser, en ne faisant que des choix raisonnables, en attendant toujours pour agir que les cases du tableur Excel soient correctement remplies.

Mais à quel prix ? Se comporter ainsi, c'est s'interdire toute réussite d'envergure et échouer à se connaître vraiment. Même lorsque notre audace n'est pas couronnée de succès, elle est encore la preuve que nous avons le sens du risque, que nous sommes capables de véritables décisions, et pas simplement de « choix » logiques.

Décision et choix : ces deux termes semblent synonymes. Ils ne le sont pas. Il faut comprendre leur différence pour approcher le secret de l'audace.

Prenons une situation au cœur de laquelle nous hésitons entre une option A et une option B. S'il apparaît, après examen rationnel, que l'option B est meilleure que l'autre, alors nous choisissons B. Ce choix est fondé, explicable : il n'y a donc rien à décider. Si, malgré l'examen, nous continuons à douter, manquons d'argument mais sentons néanmoins qu'il faut opter pour B, alors nous le *décidons*. La décision exige un saut au-delà des arguments rationnels, une confiance en son intuition. C'est précisément lorsque le savoir ne suffit pas que nous devons décider – du latin « *decisio* » : action de trancher. Une décision est toujours audacieuse : elle implique par définition la possibilité de l'échec. S'engager dans la Résistance pour sauver son pays est une décision, pas un choix. Créer Tesla Motors en faisant le pari, comme l'entrepreneur américain Elon Musk, que toutes les voitures seront électriques dans cinquante ans, est une décision, pas un choix. Tenter un *passing shot* en bout de course aussi.

La décision, affirmait Aristote, relève d'un art plus que d'une science. D'une intuition plus que du travail de la raison analytique. Cela ne signifie pas qu'elle soit irrationnelle : elle peut reposer sur un savoir, mais sans s'y réduire. Aristote l'illustre par la référence aux médecins et aux capitaines de navire. Tous deux sont compétents mais lorsqu'il y a urgence, devant le risque de la mort d'un patient ou en pleine tempête, ils doivent décider sans prendre le temps d'un examen complet de la situation, trouver le courage de trancher dans l'incertitude.

En évoquant un art de la décision, Aristote s'oppose à Platon, qui fut son maître, et pensa la décision comme une science, sur le modèle du choix rationnel. La République idéale devait, selon Platon, être dirigée par un « philosophe roi », gouvernant à la lumière de son savoir supérieur. La décision n'ayant de sens que pour compenser les limites d'un savoir, un tel philosophe roi ne *déciderait* donc jamais. Ses choix politiques ne seraient que la conséquence logique de sa science. Pour Aristote, au contraire, le grand homme doit être capable de dépasser les limites de son savoir en osant des actes intuitifs, des décisions. Ce sens du jugement en fait un artiste du politique bien plus qu'un savant roi.

Encore une fois, il semble que nous soyons, en France, trop platoniciens. Nos Instituts d'études politiques sont ainsi rebaptisés « Sciences Po », et non « écoles de l'art politique ». De « Sciences Po » à l'ENA, une même idée de la science politique et administrative domine. Il s'agit de former des technocrates plus que des décideurs. Les hauts fonctionnaires qui se retrouveront à la tête de grandes entreprises devront prendre des décisions majeures en ayant reçu une formation exclusivement axée sur les compétences techniques. Le plus souvent, ils auront suivi une scolarité longue et riche, mais sans avoir assisté à un seul cours sur la décision – sa nature et sa complexité, ses relations à l'expérience, à l'intuition, au risque. Comment, dans ces conditions, développer une vision humaniste de l'échec ?

Comprendre la différence entre la décision et le choix peut aussi nous aider à mieux supporter l'angoisse associée à la prise de risque. Cette angoisse que nous éprouvons au moment de trancher est normale. Mieux : elle est le signe que nous avons un pouvoir sur le monde.

« *L'angoisse est la saisie réflexive de la liberté par elle-même* », explique Sartre dans *L'Être et le Néant*. Lorsque nous n'avons aucune possibilité d'action, nous sommes désespérés, pas angoissés. L'angoisse nous saisit lorsque nous avons une décision difficile à prendre, qu'il faudra assumer : en fait, c'est notre liberté qui nous effraie. Tout l'enjeu d'une existence est d'éviter d'être paralysé par cette angoisse. Combien d'ambitions gâchées, de vocations ratées parce qu'au moment d'oser nous avons été terrassés par la crainte d'échouer ? La peur de l'échec nous tétanise lorsque nous voulons faire de notre vie une suite de choix rationnels. Mais elle devient supportable dès lors que nous intégrons qu'une vie de décideur comporte son lot d'errements, d'espoirs déçus et d'occasions manquées.

L'audace ne nous délivre pas de la peur : elle nous donne la force d'agir malgré elle. L'audacieux n'est pas le téméraire, tête brûlée qui n'a peur de rien, et cherche à éprouver sa fureur de vivre dans la prise de risque maximale. L'audacieux connaît la peur, mais il en fait un moteur. Il cherche à réduire le risque au maximum, mais sait prendre le risque qui reste : il « tente sa chance » en connaissance de cause. La tête brûlée aime le risque, l'audacieux a le sens du risque.

Une vie authentiquement vécue, affirme Nietzsche, exige un tel sens du risque. Ainsi s'éclaire le « *deviens ce que tu es* » par lequel Zarathoustra tente de sortir les hommes de leur torpeur conformiste. Deviens ce que tu es : ose devenir toi-même, assume ta singularité au cœur de cette société qui, par définition, valorise les règles. Il n'est pas surprenant que tu aies peur : la société, pour fonctionner, exige une soumission aux normes. Freud ne dira pas autre chose dans *Malaise dans la civilisation*, un petit livre explosif publié en 1929 : ce qui est bon pour la société n'est pas ce qui est bon pour l'individu. Ce qui est bon pour la société : le refoulement par les individus de leur singularité asociale. Ce qui est bon pour l'individu : l'expression de cette singularité. D'où le « malaise » propre à toute civilisation, qui donne son titre à l'ouvrage et ne pourra jamais être complètement dissipé. D'où la difficulté à « devenir soi », et la peur qui nous saisit au seuil de l'audace.

Mais nous pouvons apprivoiser cette peur, dit Nietzsche. « *Deviens ce que tu es* », personne ne le fera pour toi. Essaie au moins, car même si tu échoues, tu auras réussi : tu échoueras d'une manière qui ne ressemble qu'à toi. Il n'y a pas de risque plus grand que de ne pas essayer, et de voir venir la mort sans savoir qui l'on est.

Il est un profil de cadres que je rencontre fréquemment lors de mes interventions en entreprises. Après de bonnes études en école de commerce ou d'ingénieur, ils ont intégré une grande entreprise et y font carrière depuis une quinzaine d'années. Ils ont autour de la quarantaine et, sans avoir jamais fait de vagues, sans avoir pris de véritable risque, sans avoir commis d'erreur majeure, se retrouvent à un poste élevé, gagnent bien leur vie, mais avec le sentiment diffus de passer à côté de leur existence. Ils me confient souvent qu'un autre pourrait faire leur métier comme ils le font. La phrase de Nietzsche les fascine à juste titre : leur quotidien ne leur donne pas l'occasion de « devenir ce qu'ils sont ».

Lors de ces échanges, le mot que j'ai le plus entendu est « *process* ». Loin devant les termes « management », « ressources humaines » ou « initiative ». Il est sur toutes les lèvres au moment des questions avec le public, surtout lorsque j'ai fait l'apologie du sens du risque ou de la créativité. Ces cadres déçus de ne pas pouvoir « devenir ce qu'ils sont » apparaissent comme les victimes collatérales du triomphe des « *process* ». Si ces processus de rationalisation des tâches sont à l'origine nécessaires, j'observe qu'ils ont changé de fonction. Ils devaient n'être que des moyens, ils sont devenus une fin. Lors des évaluations annuelles, ces cadres ne sont pas jugés seulement sur la réalisation de leurs objectifs, mais aussi sur la façon dont ils les ont réalisés, autrement dit sur le respect des procédures. À l'ère du triomphe des « *process* », la créativité est un vilain défaut, et l'échec une preuve d'incompétence. Il y a des exceptions, mais la tendance globale dans les multinationales françaises est à la dévalorisation de l'initiative et donc du risque.

À entendre tous ces cadres confesser leur désarroi, leur sentiment d'inutilité, à les voir si tristes, on mesure combien la vie qui ne se risque pas s'étiole à petit feu. Certains vont s'accommoder de leur situation, la voir comme un gagne-pain et chercher ailleurs des occasions de se sentir vivants. D'autres vont trouver le courage de changer de voie, devenir parfois entrepreneurs pour se sentir renaître. D'autres enfin vont se laisser gagner par la dépression, hâtivement rebaptisée « burn-out ». Ils ne s'effondrent pas parce qu'ils travaillent trop, comme on l'entend souvent, mais parce qu'ils travaillent coupés d'eux-mêmes, de leur talent propre, de leur possibilité d'expression. Si leur métier leur permettait de s'accomplir, ils pourraient travailler encore plus sans faire de burn-out.

Il y a un coût associé à l'action, mais l'inaction est encore plus coûteuse. En témoignent toutes ces dépressions de cadres. Bons élèves depuis toujours, ils meurent peu à peu de ne pas aller vers leur risque.

« *La vie s'appauvrit, elle perd de son intérêt, dès l'instant où dans les jeux de la vie il n'est plus possible de risquer la mise suprême* », prévient Freud dans ses *Essais de psychanalyse.* Voilà la vraie menace : à force de ne pas oser échouer, échouer tout simplement à vivre.

« *Impose ta chance, serre ton bonheur et va vers ton risque.* » Ce « *tu* » utilisé par René Char dans *Les Matinaux* est le même que celui de Zarathoustra dans sa formule « *deviens ce que tu es* ». Le « tu » d'une voix qui ne se laisse pas recouvrir par le « on » de la norme et des « *process* ». Un « tu » qui tente sa chance, « *l'impose* » même, qui prend le risque de l'échec pour réussir à devenir soi.

L'entrepreneur britannique Richard Branson n'a pas le profil lisse de certains grands patrons. Premier homme à avoir traversé l'Atlantique en ballon gonflable (il est aussi le *kitesurfeur* le plus âgé à avoir traversé la Manche, à 61 ans !), il a développé sa marque Virgin dans des champs aussi variés que les compagnies aériennes, les transports ferroviaires, les chaînes de distribution, la téléphonie mobile ou le tourisme spatial. Surtout connu en France pour ses Virgin Megastore, il est salué pour son audace, comme lorsqu'il a cassé le monopole de British Airways en créant Virgin Atlantic. Et comme tout audacieux, il a beaucoup échoué.

Persuadé qu'il y avait de la place entre Pepsi et Coca-Cola, il a lancé en grande pompe Virgin Cola en 1994 avant de se résoudre à cesser la commercialisation. Au début de l'ère Internet, il a eu l'idée novatrice de créer une gamme de produits cosmétiques vendus aussi bien en ligne qu'en magasins ou lors de grands événements privés. Les pertes furent considérables. Il a voulu concurrencer Apple en lançant, trois ans après le premier IPod, un Virgin Pulse qui ressemblait plus à un chronomètre qu'à un lecteur MP3. Ce fut un accident industriel. La liste ne s'arrête pas là : oser, c'est oser l'échec.

Son aventure d'entrepreneur a d'ailleurs commencé par un raté. Peu de temps après avoir fondé, à 21 ans, sa première maison de disques, il est condamné pour fraude à la TVA, passe même une nuit en prison et doit s'acquitter d'une amende telle que sa mère est contrainte d'hypothéquer sa maison. Cette déconvenue l'oblige à apprendre à gérer une entreprise et le contraint, pour pouvoir rembourser, à développer sa maison de disques en accéléré. Il signera les plus grandes stars des années 1980 : Peter Gabriel, Human League, Phil Collins…

Entendre Richard Branson parler de ses ratages est extrêmement instructif. Au sujet de Virgin Cola, il reconnaît en souriant qu'il s'est attaqué à plus gros que lui. Concernant le Virgin Pulse, il précise qu'il a compris, dès la seconde où il a vu son lecteur MP3, qu'il n'était pas Steve Jobs. Et il sourit encore. On a l'impression qu'échouer ne lui déplaît pas, que ses échecs le ramènent à son audace plus encore que ses succès. « *Les audacieux ne vivent pas longtemps*, a-t-il déclaré, *mais les autres ne vivent pas du tout.* » Version bransonienne de notre proverbe français : « *La chance sourit aux audacieux.* » Elle leur sourit parce qu'ils l'ont provoquée : ils se sont provoqués eux-mêmes, ils ont provoqué leur talent.

À bien des égards, Xavier Niel est le Richard Branson français. Leurs points communs sont troublants : absence de diplômes, première aventure entrepreneuriale avant 18 ans, passage rapide par la case prison, percée dans la téléphonie mobile… Comme son homologue anglais, Xavier Niel a fait preuve d'une audace de pionnier et réalisé quelques coups de maître. Jeune, il crée sur le Minitel le premier annuaire inversé (3615 ANNU), permettant de retrouver le nom à partir du numéro. Sa méthode donne un aperçu de son état d'esprit : ne pouvant s'offrir l'intégralité du Bottin téléphonique, il utilise, de manière cavalière mais légale, une faille de France Télécom pour se procurer les données. Au temps du boîtier marron, les trois premières minutes de connexion sont en effet gratuites. Xavier Niel décide alors de récupérer l'ensemble des coordonnées en faisant tourner en même temps plusieurs centaines de Minitel. On comprend que l'opérateur historique ne le porte pas dans son cœur… En 1999, il lance Free, premier fournisseur d'accès à Internet gratuit, et rencontre le succès. Il ne s'en contente pas. Il a déjà en tête l'idée du « *triple play* », qui donnera plus tard la Freebox. Il part aux États-Unis à la recherche de la « boîte magique », persuadé qu'un inventeur de la Silicon Valley y a songé. Ce n'est pas le cas : de Palo Alto à San Francisco, nulle trace d'une telle « box ». Xavier Niel et ses associés se lancent alors un défi, tandis qu'ils glissent sur les Escalator des studios Universal : puisqu'elle n'existe pas, inventons-la ! La Freebox naîtra quelques mois plus tard, invention révolutionnaire, totalement française, proposée au prix de 29,99 euros par mois. Les abonnés se précipiteront sur ce produit innovant que la concurrence s'empressera de copier. En 2012, avec le lancement de Free Mobile, il réalise sa plus belle opération : une offre commerciale ultra-agressive avec un forfait illimité à 19,99 euros et un autre à 2 euros. Dès le premier jour, un million de Français souscrivent un abonnement. Ils sont aujourd'hui six millions.

Chaque fois, Xavier Niel a osé. Pris des décisions qui lui ressemblaient. Lors des quatre exemples précités (3615 ANNU, Free, Freebox, Free Mobile), s'il avait analysé rationnellement la situation et avait attendu, pour agir, d'être sûr de son coup, il n'aurait pas agi. Et logiquement, comme Richard Branson, comme tous les authentiques décideurs, il a connu son lot de ratages : immobilier.com, emploi.com…

Enfant d'un milieu modeste, le geek de Créteil semble avoir compris le ressort de l'action, que le philosophe Alain résume avec humour : « *Le secret de l'action, c'est de s'y mettre.* »

Au fond, il faut réussir à échouer.

Même pas pour en tirer des leçons. Juste pour avoir la preuve que nous sommes capables de sortir du tableur Excel. Pour découvrir que la vie a plus de goût ainsi. Le véritable échec serait alors de n'en avoir connu aucun : cela signifierait que nous n'avons jamais osé.

Cela vaut pour un individu comme pour une société : le sens du risque est ce qui rend une civilisation vivante. Or, en 2005, à l'initiative du président

Jacques Chirac, c'est le principe de précaution qui a été intégré à la Constitution française. Le souci de l'environnement est légitime, mais une telle modification du texte fondateur de notre République ne risque pas de nous rendre plus audacieux. Beaucoup de grandes choses sont possibles sans principe de précaution. Aucune ne l'est sans le sens du risque.

11

Comment apprendre à oser ?

« *Un voyage de mille lieues commence par un pas.* »

LAO-TSEU

Lorsqu'un sportif ose un coup de maître, c'est parce qu'il a appris une quantité de gestes simples. Il faut répéter et répéter encore pour s'autoriser à sortir de la répétition.

Zlatan Ibrahimovic s'est illustré par des buts hors norme, semblant relever autant du football que des arts martiaux ou de la bagarre de rue. J'ai eu la chance d'assister, au Parc des princes, à un match PSG-Bastia resté dans les mémoires en raison de l'un de ces gestes de « Zlatan » : un but marqué d'une « aile de pigeon », en frappant le ballon dans son dos, de l'extérieur et non de l'intérieur du pied, avec une délicatesse inouïe – comme au ralenti. Quiconque observe ce geste a l'impression de n'en avoir jamais vu de tel : l'audace semble folle. Elle a pourtant été rendue possible par des heures d'entraînement, et par une pratique intense du taekwondo dans sa jeunesse. Toutes ces années d'apprentissage se trouvent ramassées dans l'instant de ce geste, quand lui vient cette intuition géniale de caresser ainsi le ballon.

« *Agir en primitif, prévoir en stratège* », écrit René Char dans les *Feuillets d'Hypnos*. Il faut revoir l'aile de pigeon de Zlatan Ibrahimovic avec ce bel aphorisme en tête. Lorsqu'il s'entraîne, se met en situation, anticipe, il « *prévoit en stratège* ». Mais à la seconde où, en plein match, devant des milliers de spectateurs, il ose son aile de pigeon, il « *agit en primitif* » : il oublie tout. Il réalise, sans forcément y songer, ce qu'il préparait depuis longtemps.

Voilà la première condition de l'audace : avoir de l'expérience, accroître sa compétence, maîtriser sa zone de confort pour oser en sortir, et faire « le pas de plus ». Celui qui n'a qu'une petite expérience est tenté de s'y rapporter sans cesse : il n'osera pas beaucoup. Celui qui a une grande expérience ne peut, par définition, s'y référer entièrement : le voilà porté à écouter son intuition. L'audace est un résultat, une conquête : on ne naît pas audacieux, on le devient.

Au fond, la véritable expérience est toujours une expérience de soi, et c'est à ce titre qu'elle conditionne la prise de risque. À l'heure de décider, l'entrepreneur qui se connaît bien peut être attentif à ce qu'il ressent, à ses affects. Éprouve-t-il la même chose que lorsqu'il a, par le passé, su trancher avec talent ? Reconnaît-il cette impression d'évidence qui l'a envahi chaque fois qu'il a su saisir une opportunité ?

Xavier Niel était un adolescent tranquille, discret, moyen à l'école. Il n'était pas audacieux, rien ne l'intéressait vraiment. La découverte, à 15 ans, sous le sapin de Noël, de son premier ordinateur, changera tout. En se passionnant pour l'informatique, il va trouver un point d'ancrage et développer une compétence. C'est elle qui en fera un audacieux. Il faut être compétent pour dépasser sa compétence et se découvrir capable d'audace.

On connaît la célèbre réplique de Lino Ventura dans *Les Tontons flingueurs* : « *Les cons, ça ose tout, c'est même à ça qu'on les reconnaît.* » Ils osent tout parce qu'ils ne savent rien, ou pas grand-chose. Ils manquent d'expérience, de compétence. D'ailleurs, leur audace est-elle vraiment de l'audace ? Probablement pas : ils sont incapables de mesurer le risque qu'ils prennent.

Apprendre à oser, c'est apprendre à ne pas tout oser, à oser quand il le faut, lorsque les nécessités de l'action exigent ce saut au-delà de ce que nous savons. Nous pouvons ainsi entendre une autre résonance du beau vers de René Char : « *Impose ta chance, serre ton bonheur, et va vers ton risque.* »

« *Serre ton bonheur* » : prends plaisir à faire ce que tu sais faire, à habiter ta zone de confort, restes-y le temps qu'il faudra.

« *Et va vers ton risque* » : pour trouver ensuite la force, quand ce sera nécessaire, de t'aventurer au-dehors.

Seule la maîtrise rend possible la grâce de l'« immaîtrise ». Nous devrions nous en souvenir chaque fois que nous sentons le courage nous manquer.

Oser s'apprend aussi en admirant l'audace des autres. Elle nous rassure, nous prouve qu'il est possible de réussir à devenir soi. Voilà ce qu'ont soufflé à Pablo Picasso les exemples de Diego Vélasquez ou de Paul Cézanne, ce que Georges Brassens a trouvé en Charles Trenet, ou Barbara en Édith Piaf. Barbara n'a pas tenté de singer Édith Piaf : c'est ainsi qu'elle est devenue Barbara. Édith Piaf avait osé une écriture féminine, assumé un sens du tragique. Barbara les déclinera à sa manière. Son admiration fut intéressée, dans le sens le plus noble. L'exemple d'Édith Piaf lui a donné des ailes. Devant la singularité de l'auteur de *La Vie en rose*, elle a pris la mesure de sa propre capacité à devenir elle-même. Charles Trenet avait de véritables ambitions poétiques et était influencé par les rythmes sophistiqués du jazz américain. Son exemple montra à Georges Brassens qu'il était possible de faire des chansons populaires sans céder sur son exigence. Picasso admirait notamment chez Vélasquez, andalou comme lui, les jeux de regards et de mises en abyme, la virtuosité illusionniste qui transformait certains tableaux, comme *Les Ménines*, en d'authentiques casse-tête. Picasso fit de ces effets illusionnistes l'une des clés de son œuvre. Il réalisera cinquante-huit variations sur *Les Ménines* et se représenta, dans la dernière, dans le miroir au centre du tableau, à la place de Vélasquez lui-même. Les grands audacieux sont de grands admirateurs. Ils admirent toujours en autrui sa singularité. Ils ne le copient donc pas : l'autre les fascine parce qu'il est inimitable. Mais ils s'en inspirent.

C'est la belle vertu de l'exemplarité, qu'il ne faut pas entendre en un sens imitatif.

« *Détournez-vous de ceux qui vous découragent de vos ambitions,* lit-on dans *Les Aventures de Huckleberry Finn* de Mark Twain. *C'est l'habitude des mesquins. Ceux qui sont vraiment grands vous font comprendre que vous aussi pouvez le devenir.* » Ils nous le font comprendre sans avoir à le dire, il leur suffit d'être ce qu'ils sont : leur exemple vaut tous les discours.

Lorsque nous manquons d'audace, nous souffrons peut-être d'un déficit d'admiration. Sans maîtres inspirants, l'expérience et la compétence risquent d'écraser notre singularité. L'admiration peut constituer un déclic, nous porter vers un usage audacieux de notre compétence.

Vue sous cet angle, la prolifération inédite de figures de la médiocrité, produits de la télé-réalité, en une des magazines people, est dangereuse pour une société. Qu'une époque mette en avant autant de personnages sans talent ni charisme est un fait inédit dans l'Histoire, dont nous ne mesurons pas encore les conséquences. C'est notre propre audace, notre propre créativité que nous menaçons en n'ayant plus personne à admirer.

Pour réussir à oser, il faut également ne pas être trop perfectionnistes. À l'heure de prendre la parole, de se lancer dans l'exécution d'un morceau de piano ou la récitation d'un poème, tant d'enfants sont paralysés. Ils préféreraient ne rien faire plutôt que de produire quelque chose d'imparfait. En réalité, ils ont peur d'y aller, et se persuadent qu'ils ne sont pas prêts. Ils sont trop perfectionnistes. Il faudrait leur dire combien l'action, et seule l'action, libère de la peur. Leur citer cette jolie phrase de Paul Valéry : « *Que de choses il faut ignorer pour agir.* » Ici, « *Ignorer* » veut dire « ne pas savoir » et « ne pas tenir compte de ». Ce qui donne un double sens à la phrase. Elle signifie qu'il peut être bénéfique d'être inconscients de la difficulté qui nous attend. Et qu'il faut être capables d'ignorer ce que nous savons, de ne pas tenir compte de certaines données. Le perfectionniste fait tout le contraire : il se réfugie derrière l'idée qu'il faut tout savoir avant de se lancer. Et donc ne se lance pas, ou se lance mal, car trop inhibé.

L'économie numérique est une bonne école pour guérir les perfectionnistes. Les avancées technologiques, les nouvelles habitudes de consommation se succèdent à un rythme tellement rapide qu'il n'est plus question de procéder comme dans l'économie classique : tester longuement un produit avant de le lancer sur le marché. Chaque jour qui passe le menace en effet d'obsolescence. Il faut donc lancer sans cesse des services et produits nouveaux, voir comment les clients réagissent pour ensuite les améliorer ou les retirer de la vente. L'échec s'inscrit, plus encore qu'avant, dans le processus industriel. Le perfectionnisme est proscrit.

Google, la deuxième société (après Apple) ayant la plus grosse capitalisation boursière au monde, ne cesse par exemple de proposer des innovations qui ne trouvent pas leur public. Comme ses dirigeants redoutent d'être pris de court par une nouvelle innovation, ils commercialisent leurs nouveautés dès qu'elles sont développées, quitte à changer de direction aussi rapidement. Dans la courte vie de ce géant de l'Internet fondé en 1998, ce sont des dizaines de produits ou services qui ont ainsi été abandonnés. Mais ces abandons rythment la marche en avant de Google. Il y a une corrélation entre le nombre de ses échecs, sa puissance innovatrice, et sa puissance tout court.

La commercialisation des Google Glass a été interrompue en 2015. Google Reader avait de même été stoppé en 2013, arrêt qui faisait suite aux échecs successifs de Google Wave ou de Google Answers... Google +, le réseau social imaginé pour concurrencer Facebook, a aussi été un échec. Mais il a eu pour effet d'inciter les internautes à surfer en se connectant à leur compte, ce qui a permis à l'entreprise de récolter des informations sur leurs habitudes et de proposer de nouveaux services. Les retours des consommateurs sur les imperfections d'un service permettent de l'améliorer, ou le plus souvent d'en proposer un autre. Leur logique est ainsi celle d'un perfectionnement permanent, à l'opposé de toute crispation perfectionniste. « *En essayant continuellement, on finit par réussir. Donc : plus ça rate, plus on a de chances que ça marche* » : on tombe parfois sur cette citation en ouvrant la page d'accueil de Google, sous les lettres qui composent le logo. Google est une « machine à essayer ». Sa méthode : essayer beaucoup et donc rater beaucoup pour réussir. Si ses dirigeants voulaient chaque fois proposer le produit parfait, ils seraient moins innovants et rentables. Nous sommes aux antipodes de la peur de l'échec, déguisée en perfectionnisme, qui justifie tous les renoncements.

Pour libérer notre capacité d'audace, il faut enfin se rappeler en toute occasion cette évidence : les échecs rencontrés sans avoir rien osé sont encore plus difficiles à vivre. Qui ne s'est jamais retrouvé une soirée entière sans oser aborder une personne attirante ? Cet être parti, l'échec avéré, nous constatons que nous aurions préféré, quitte à échouer, avoir au moins essayé. Dans une de ses chansons les plus émouvantes, *Les Passantes*, Georges Brassens raconte ce manque d'audace et ses conséquences parfois douloureuses :

> « *Je veux dédier ce poème*
> *À toutes les femmes qu'on aime*
> *Pendant quelques instants secrets* »

Ces « *instants secrets* » sont ceux où nous hésitons, sans trouver le courage d'engager la conversation. Il décrit ensuite différentes figures de femmes, que l'homme n'ose aborder :

> « *À la compagne de voyage*
> *Dont les yeux, charmant paysage*
> *Font paraître court le chemin*
> *Qu'on est seul, peut-être, à comprendre*
> *Et qu'on laisse pourtant descendre*
> *Sans avoir effleuré sa main* »…

Puis conclut sur l'amertume qui risque de nous gagner, au seuil de notre vie, en songeant à toutes ces occasions que nous n'avons pas su saisir :

« Mais si l'on a manqué sa vie
On songe avec un peu d'envie
À tous ces bonheurs entrevus
Aux baisers qu'on n'osa pas prendre
Aux cœurs qui doivent vous attendre
Aux yeux qu'on n'a jamais revus

Alors, aux soirs de lassitude
Tout en peuplant sa solitude
Des fantômes du souvenir
On pleure les lèvres absentes
De toutes ces belles passantes
Que l'on n'a pas su retenir »

Les sportifs le savent aussi : perdre sans avoir rien tenté nous laisse un goût amer. Notre plus grand regret est alors de n'avoir pas perdu en jouant le tout pour le tout, en en profitant au moins pour se rapprocher de son talent.

Quatre axes, donc, d'une méthode pour apprendre à oser : accroître sa compétence, admirer l'audace des autres, n'être pas trop perfectionniste, et se souvenir que l'échec sans audace fait particulièrement mal.

12

L’échec de l’école ?

« *Enseigner, ce n’est pas remplir un vase, c’est allumer un feu.* »

MONTAIGNE

Notre école regorge d’instituteurs et d’institutrices de talent, soucieux de nos enfants et amoureux de leurs progrès, de professeurs capables de faire aimer leurs savoirs et ayant à cœur de donner à tous les mêmes chances de réussite. J’ai moi-même été ouvert à mon désir d’écrivain en cours de lettres avant de rencontrer un professeur de philosophie charismatique, Bernard Clerté, dont je peux dire aujourd’hui qu’il a changé ma vie. Et mon métier d’enseignant m’apporte quotidiennement des joies intenses. Mon propos n’est donc en aucun cas d’accabler notre modèle éducatif, d’autant qu’aucun n’est parfait.

Il me semble toutefois que notre école, en n’enseignant pas les vertus de l’échec, se condamne à échouer à remplir son rôle. Mais avant d’exposer cette critique, j'aimerais préciser d'où je parle. J'ai enseigné dans des contextes très différents : établissement banal d'une petite ville des Hauts-de-France, grand lycée parisien, établissements difficiles de Seine-Saint-Denis, lycée d'État de la Légion d'honneur, Institut d'études politiques de Paris. J'ai eu comme élèves des habitants de la cité des Bosquets de Montfermeil aussi bien que des enfants des beaux quartiers parisiens, des gens du Nord traversant les champs en VTT pour venir en cours aussi bien que de jeunes banlieusards qui n'avaient jamais vu la mer. Mais j'ai repéré des invariants qui me semblent problématiques.

Une école qui n'encourage pas assez la singularité

Le premier de ces invariants pourrait sembler anecdotique mais ne l'est pas : les élèves y sont rarement félicités pour leur manière de se tromper. Avoir une mauvaise note parce que aucun travail n'a été fourni n'est pas la même chose que s'être égaré par passion dans un hors-sujet. Nous devrions féliciter plus souvent les élèves qui se sont trompés de manière originale, souligner combien une manière de rater – curieuse, inattendue – peut augurer des succès futurs. L'élève prendrait mieux les critiques, serait encouragé à développer son talent et comprendrait qu'il n'est pas déshonorant de se tromper.

Il m'a fallu des années d'enseignement pour découvrir l'intérêt de valoriser la singularité de l'élève au moment même où il échoue. Mais j'ai pu observer depuis à quel point cette attitude était utile aux élèves.

Ils adorent s'entendre dire que jamais personne n'a commis un contresens aussi drôle, qu'ils ont traité un sujet, certes sans rapport avec la question, mais absolument passionnant. Ou tout simplement que c'est « bien tenté ». Ils sont amusés, parfois flattés, jamais humiliés.

Plus généralement, nous devrions nous arrêter davantage sur les échecs. Trop souvent, nous passons à autre chose comme si nous ne voulions pas les voir, comme s'ils étaient sans valeur, honteux. Scène classique de l'école française : l'élève reçoit sa mauvaise note – souvent publiquement, ce qui serait inenvisageable aux États-Unis –, puis assiste dans la foulée au corrigé du professeur adressé à la classe entière. Le message est clair : il y a une méthode à appliquer pour réussir. C'est elle qui est intéressante, pas la manière de rater. D'où la reprise magistrale. Ce n'est bien sûr pas la seule façon de faire en France, mais il y a des pays, la Finlande par exemple, où un tel corrigé n'est même pas concevable, tant il nie le principe d'une pédagogie individualisée.

Une des spécificités de l'école française consiste en ce cours adressé d'une seule voix à une classe d'une trentaine d'élèves. Malgré le développement des demi-groupes et l'apparition des deux heures hebdomadaires d'accompagnement personnalisé, ce modèle reste dominant. En hypokhâgne, prépa HEC ou maths sup, les classes comptent même souvent quarante élèves. Observer les systèmes éducatifs d'autres pays permet de mesurer combien notre format d'enseignement tend à étouffer les talents singuliers.

Aux États-Unis, au Royaume-Uni ou même en Allemagne, les effectifs sont plus réduits et la relation personnelle à l'élève est particulièrement développée. Dans certaines écoles anglaises, des prix sont remis régulièrement, qui récompensent aussi bien les résultats scolaires que le « *cancre du jour* », le « *comique de la semaine* » ou les « *plus beaux amoureux* ». Tout y est fait pour encourager l'élève à développer sa personnalité, bien au-delà de ses résultats scolaires.

La Finlande est longtemps apparue, d'après les études PISA (études menées par l'OCDE sur les acquis des élèves dans les différents pays) comme le champion toutes catégories en termes d'éducation : impact quasi nul des différences socio-économiques sur les résultats, peu d'écarts entre établissements, degré élevé de satisfaction des élèves... Leur nombre moyen par classe y est de dix-neuf et la pédagogie s'adapte au rythme d'apprentissage de chacun. Pour ne prendre qu'un exemple, qui surprendra bien des Français, les petits Finlandais ont jusqu'à 9 ans pour apprendre à lire. Les premières années sont dédiées à l'éveil des aptitudes individuelles et de la curiosité. Ils ne sont pas notés avant l'âge de 11 ans. Entre 7 et 13 ans, tout au long de « l'école fondamentale », ils ont un programme commun. Dès l'âge de 13 ans, ils peuvent construire leur cursus de manière souple en choisissant jusqu'à six matières optionnelles. À partir de 16 ans, ils sont libres de composer entièrement leur programme. La classe traditionnelle, au sens où nous l'entendons en France, n'existe pas. Il n'y a presque pas de cours magistraux. Alors que les professeurs français sont tenus de respecter des programmes, et régulièrement inspectés, les enseignants finlandais jouissent d'une liberté pédagogique immense. Résultat : ce petit pays de moins de six millions d'habitants est devenu l'un des plus innovants au monde, avec l'un des plus forts taux de brevets. Et ce n'est pas une question de moyens puisque la dépense globale d'éducation de la Finlande est de 7 % du PIB, à peu près comme celle de la France.

Au cœur de cette réussite, on trouve une idée simple, résumée par M. Hannu Naumanen, principal du collège Pielisjoki de Joenssu : « *Valoriser ce qui est su plutôt que ce qui n'est pas su. Le plus important est que les élèves aient le sentiment d'être bons dans quelque chose.* » De là découle une tout autre vision du devoir imparfait ou de l'exercice raté. Souvent interprété en France comme un manquement à la règle, les enseignants finlandais y voient un éclairage précieux, une indication permettant d'orienter l'élève vers le lieu d'expression de son talent.

Deuxième invariant : les élèves sont invités à travailler leurs faiblesses davantage que leurs forces. J'ai mis du temps à m'en rendre compte mais je ne cesse depuis de le constater. J'ai assisté à des dizaines de conseils de classe où les professeurs préféraient souligner la faiblesse d'un élève dans une matière plutôt que ses excellents résultats dans les autres. Si un élève de 14 ans se montre particulièrement doué en dessin ou en français, mais obtient de mauvais résultats en mathématiques, la discussion portera le plus souvent sur la façon de progresser en mathématiques. Aux États-Unis ou en Finlande, l'accent sera mis sur l'atout que représente, à l'échelle d'une vie, un talent en dessin ou en français. L'idéal de notre école est celui de l'élève complet, appliqué, « dans la norme ». Les élèves assez bons partout sont préférés aux profils atypiques, brillants ici, mais faibles là.

Il y a derrière notre manière de procéder une vision du monde qui mérite d'être questionnée. Que faut-il donc pour réussir son existence ? Ne pas avoir de points faibles ? Ou avoir des points forts ? Être assez bon partout en appliquant les méthodes sans se tromper ? Ou assumer sa singularité jusque dans ses forces et ses faiblesses ?

Julien Gracq répond à cette question. L'auteur des chefs-d'œuvre que sont *Le Rivage des Syrtes* ou *Au Château d'Argol*, évoque dans *Un beau ténébreux* la stratégie gagnante du joueur d'échecs : « *Celle-ci par exemple de Niemzovitch, la plus profonde peut-être et la plus générale qu'on ait émise – et sans doute applicable à toute autre chose aussi qu'au jeu d'échecs : "Ne jamais renforcer les points faibles – toujours renforcer les points forts."* »

Julien Gracq n'était pas simplement ce styliste éblouissant, influencé par le surréalisme, qui refusa le prix Goncourt en 1951. Il a aussi été, toute sa vie, professeur d'histoire-géographie au lycée. Cette phrase traduit probablement sa sagesse d'enseignant. S'il est nécessaire de travailler ses points faibles pour qu'ils ne deviennent pas handicapants, il faut surtout « *renforcer les points forts* » – miser sur son talent.

Notre école de la République semble donc ne valoriser que les bons élèves, « dans la norme ». Mais inviter au respect de la règle plus qu'à l'audace de devenir soi, n'est-ce pas la logique même de l'école égalitaire ? A-t-on raison de le lui reprocher ?

Si les audacieux et les originaux se sentent à l'étroit dans les murs de nos salles de classe, peut-être prennent-ils ainsi la mesure d'une différence qu'ils pourront ensuite exprimer hors de l'école. La chanteuse Camille a suivi sa scolarité au lycée Henri IV de Paris avant d'entrer à l'Institut d'études politiques. Cela ne l'a pas empêchée de devenir l'une des voix les plus singulières du paysage musical français. Jean-Jacques Goldmann est diplômé de l'EDHEC, et le chanteur Antoine de la prestigieuse École centrale. Une enquête de l'Insee révèle d'ailleurs que les artistes sont en moyenne, en France, plus diplômés que les autres. Notre école, en bridant les singularités, les nourrirait donc en même temps.

À cette idée réconfortante, on peut objecter que cette même école a été quittée par un grand nombre d'audacieux qui n'en supportaient pas les contraintes. Jean-Paul Gaultier l'a abandonnée avant le baccalauréat, pressé de se confronter au monde, de déployer son art à temps plein. Il a envoyé ses croquis à Pierre Cardin, qui les a adorés. Il n'avait pas 18 ans. Alain Ducasse n'a pas supporté l'enseignement académique et a quitté le lycée pour entrer en apprentissage au restaurant Le Pavillon landais de Soustons. François Pinault a arrêté l'école à 16 ans. Jean-Claude Decaux a fondé à 18 ans son groupe de mobilier urbain JCDecaux… Tous ont dû fuir l'école des bons élèves pour donner une chance à leur talent. 22 % des créateurs d'entreprise ont arrêté les études avant le bac ou juste après.

Faut-il donc militer pour une autre école ? Avant de répondre, faisons un peu d'histoire. Le but premier de notre système scolaire était de rendre l'égalité des droits réelle, non de permettre une mise en avant des particularités. Au cœur de ce projet, l'idée de donner à tous les citoyens les mêmes savoirs, et donc la même capacité à exercer leur citoyenneté. Ses concepteurs, Jules Ferry, Ferdinand Buisson ou Victor Cousin, étaient tous influencés par la philosophie des Lumières de Kant, pour qui l'éducation à la liberté passe par l'apprentissage de la règle et de la loi. Nous sommes donc dans un schéma de pensée universaliste et rationaliste : l'erreur y a des allures de faute et n'est jamais valorisée comme preuve d'audace.

Ce modèle a longtemps été vertueux. Il a permis à des enfants de milieux défavorisés de s'arracher à leur condition. L'ascenseur social a fonctionné grâce à cette école qui était la même pour tous, enfants d'ouvriers, de professeurs ou de notables. Sans cela, ceux qui n'étaient pas des héritiers n'auraient pas pu faire valoir leurs talents singuliers. Les « hussards de la République » que vantait Charles Péguy ont existé : lorsque, fraîchement agrégés, ces professeurs descendaient sur le quai de gare d'une petite ville de province pour prendre leur fonction le jour de la prérentrée, le préfet se tenait là pour les accueillir, et les remercier au nom de la France. Au nom de l'égalité.

Mais les temps ont changé. Les études PISA montrent les résultats déplorables que notre pays obtient. Les conditions socio-économiques déterminent aujourd'hui les résultats scolaires. Les grandes écoles sont celles de la reproduction sociale. Malgré la bonne volonté d'enseignants souvent exemplaires, notre système éducatif est en crise. Il n'assure plus la mobilité sociale. Le collégien de Stains en Seine-Saint-Denis ne reçoit plus le même enseignement que le Parisien ou le Lyonnais du centre-ville. Ce n'était pas le cas il y a cinquante ans.

Mais alors, si l'école n'est plus celle de l'égalité, pourquoi ne deviendrait-elle pas celle des singularités ? Si elle n'est plus capable d'apporter à tous les mêmes savoirs, pourquoi ne mettrait-elle pas l'accent sur les talents particuliers, la créativité, le sens de l'initiative ? Puisqu'elle n'est plus l'école de la norme, pourquoi n'apprendrait-elle pas à encourager ceux qui osent ? Au lieu de nous accrocher à un modèle passé, nous pourrions prendre acte du changement d'époque, y voir une chance de refonder notre système éducatif. Pour cela, il faudrait parler autrement de l'entrepreneuriat, mais nous allons voir que nous partons de loin. Pour cela, il faudrait être capable de valoriser les « savoirs utiles », mais nous allons voir que ce n'est pas dans notre culture.

Troisième invariant : l'entreprise est souvent méconnue des enseignants, et sa réalité caricaturée. De nombreux manuels d'économie véhiculent encore des clichés sur les patrons « exploitant les travailleurs » qu'on ne trouve même pas dans l'œuvre autrement plus subtile de Karl Marx, et ne proposent jamais dans leurs pages de portraits d'entrepreneurs audacieux. Logiquement, et contrairement aux États-Unis, on ne trouve aucun chef d'entreprise dans la liste des personnalités préférées des Français. De nombreuses initiatives sont prises pour essayer de changer les choses. La plus significative est celle du chef d'entreprise et écrivain Philippe Hayat, qui a créé en 2007 l'association 100 000 entrepreneurs, pour les faire témoigner dans les collèges et lycées. L'association, en à peine dix ans, a touché 10 % d'une classe d'âge. Philippe Hayat raconte dans *L'Avenir à portée de main* comment ces hommes et ces femmes débarquent sur les estrades pour décrire aux élèves l'étrange métier d'entrepreneur : partir d'un désir, d'une idée ou d'un besoin, trouver des financements, limiter le risque, et puis risquer sa chance. Ils leur disent aussi qu'il y a en France deux fois moins d'entreprises de taille moyenne qu'au Royaume-Uni, trois fois moins qu'en Allemagne, et qu'il suffirait d'en doubler le nombre pour résoudre le plupart des maux de notre pays : chômage de longue durée, déficit des comptes publics, faillite des organismes de protection sociale. S'ils arrivent parfois à allumer de la lumière dans les yeux de la jeunesse, ils se heurtent à certaines questions récurrentes : *Comment fait-on sans argent au départ ? Comment savoir si notre idée est bonne ?* Mais une question revient plus souvent que les autres : « *Et si j'échoue ?* »

La peur d'échouer est le principal frein de notre jeunesse.

Quatrième invariant : notre incapacité à valoriser les « savoirs utiles ». Les connaissances sont trop souvent présentées comme des fins en soi ou de simples occasions d'évaluation. D'après les études PISA, les élèves français sortent de l'école avec de nombreuses connaissances – beaucoup plus, par exemple, que les élèves américains. Mais si notre école réussit à apporter à nos élèves tous ces savoirs, elle les présente sous un jour trop théorique, trop scolaire, pas assez « existentiel ».

Or, une connaissance ne vaut pas en elle-même, mais relativement à ce qu'elle va pouvoir changer dans une vie. Il faudrait assumer clairement cette relation vitale, « instrumentale » au savoir. Être lucide sur la baisse de niveau globale devrait achever de nous convaincre : il faut partir de ce que les élèves pourront faire des savoirs pour les y intéresser. De nombreux enseignants en sont convaincus – professeurs d'histoire montrant aux élèves combien la connaissance du passé peut leur permettre de mieux comprendre l'actualité, professeurs de philosophie suggérant aux enfants des couches sociales les plus défavorisées qu'ils pourront trouver dans la philosophie des méthodes pour s'exprimer, voire pour justifier leur rébellion. Mais ces professeurs sont souvent sanctionnés par des inspecteurs académiques qui font semblant de ne pas voir que la France a changé, et taxent de démagogues les professeurs qui commencent par se mettre au niveau des élèves. Il n'y a pourtant pas d'autre manière d'instaurer une relation.

Je me souviens d'un inspecteur qui m'avait fait la leçon. Après avoir critiqué mes méthodes, il m'avait rappelé d'un air habité le sens du mot « institution » : « *Une institution, c'est ce qui ne bouge pas quand tout le reste bouge, ce "tuteur" à quoi les élèves peuvent s'accrocher quand le reste s'effondre.* » Tout était dit, assez joliment d'ailleurs. Ma conviction est que notre pays vit une telle mutation que l'école, bien au contraire, doit « bouger » pour s'adapter au monde qui change.

Dans la *Seconde Considération intempestive* Nietzsche s'emporte contre « *l'érudition vaine* » et « *l'esprit petit-bourgeois* ». Avec humour, il raille ceux qui soignent leurs connaissances comme des antiquaires leurs « bibelots » : ils les époussettent à longueur de journées mais n'en font rien. Et finissent par manquer de souffle à cause de la poussière. Il nous rappelle que la question essentielle n'est pas « *que sais-je ?* » mais « *que vais-je faire de ce que je sais ?* ». Nietzsche distingue deux types d'usage du savoir. Soit nous utilisons notre savoir pour nous rassurer et nous enfermer dans une logique de stricte compétence. Nous cédons alors à « *l'instinct de la peur* ». Soit nous partons de ces connaissances pour aller voir ailleurs, et les abordons avec « *l'instinct de l'art* ». Dans ce cas, la fonction des connaissances est de nous lancer dans la vie, dans l'action, dans la recréation perpétuelle de nos existences.

On trouve dans un autre couplet du poème *If* de Rudyard Kipling une belle résonance de cette philosophie nietzschéenne de la connaissance :

« *Si tu sais méditer, observer et connaître*
Sans jamais devenir sceptique ou destructeur
Rêver, mais sans laisser ton rêve être ton maître
Penser, sans n'être qu'un penseur. »

Dans une vision audacieuse de l'existence, le savoir doit être présenté *dès le début* comme ce qui aspire à être dépassé, les connaissances comme ce qui délimite une zone de confort dont il faudra sortir.

Nous avons là une idée décisive pour orienter la réforme de l'école : tout savoir doit favoriser, en chacun de nos élèves, le triomphe de « *l'instinct de l'art* » sur « *l'instinct de la peur* ». Il faut leur apprendre à « *penser* », bien sûr, mais aussi à n'être jamais « *qu'un penseur* ».

On imagine les implications d'une telle idée directrice à tous les niveaux. Les programmes d'une matière doivent être allégés ? Ce point de vue nietzschéen pourrait aider à distinguer ce qui doit être conservé de ce qui est moins utile. Faut-il encore enseigner le latin ou le grec ? Oui, mais à la condition de souligner la manière dont les langues mortes aident à comprendre le français d'aujourd'hui. Les bacs professionnels peinent à être valorisés alors qu'ils sont nécessaires et débouchent sur des emplois ? Dans un monde où la question principale ne serait plus « *que sais-tu ?* » mais « *que vas-tu faire de ton savoir ?* », ils le seraient de fait.

Ce rapport libre, créatif et « instrumental » aux connaissances est exactement ce que propose l'enseignement de la philosophie en classes de terminale. Il s'agit, en partant des théories des grands auteurs, d'apprendre à penser par soi-même. Le but n'est pas d'enseigner l'histoire des idées, mais la joie d'une pensée libre. Découvrant que la liberté est selon Descartes une capacité de choix et qu'elle est le contraire pour Spinoza, les élèves sont invités à se faire « leur » idée de la liberté : les références servent de prétexte à leur réflexion. Les élèves les retiennent d'autant mieux qu'elles n'ont pas été présentées comme « ce qu'il faut connaître », et les ont conduits à une analyse personnelle. Voilà pourquoi la philosophie devrait être enseignée dès l'école primaire. Ce serait une bonne manière de donner le *la* de ce rapport utile, existentiel au savoir, d'insuffler à notre jeunesse, le plus tôt possible, cet esprit critique qui est le meilleur rempart contre les idéologies et les crispations identitaires.

Une bonne manière, également, de leur montrer qu'une vie réussie est une vie questionnée. De les initier au beau risque de vivre.

13

Réussir ses succès

« *Si vous êtes venus pour* Purple Rain, *vous vous êtes trompés de maison, ce qui compte n'est pas ce que vous connaissez déjà, mais ce que vous êtes prêts à découvrir.* »

PRINCE

Jusqu'ici, nous nous sommes demandé comment réussir nos échecs. Mais pour s'accomplir dans la durée, il faut également réussir ses succès – ce qui n'est pas si facile. Être capable de les vivre, eux aussi, comme des occasions d'en apprendre sur soi ou de se réinventer. Se méfier, dans le succès tout autant que dans l'échec, de l'identification excessive : s'il est désastreux de se définir par ses échecs, il peut être dramatique de se réduire à ses succès.

Il est très instructif d'observer l'attitude de ceux qui enchaînent les succès sur de longues périodes.

Les Experts, ces handballeurs français entraînés par Claude Onesta, ont réussi ce qu'aucune équipe de hand n'a jamais réalisé : remporter cinq titres de champions du monde, trois titres de champions d'Europe, deux médailles d'or aux jeux Olympiques… Au début des années 2000, ils enchaînèrent neuf titres internationaux. Certains artistes comme David Bowie ou Prince sont restés au sommet de leur art durant des décennies, tout en se retrouvant régulièrement en tête des ventes d'albums.

Leur secret ? Ils regardent leurs succès comme nous devrions aborder nos échecs : en continuant à chercher, à s'interroger. Ils ne se laissent jamais enfermer dans une idée ou une image d'eux-mêmes. S'ils apprécient le succès, ils savent que l'essentiel est ailleurs. Ils savent aussi le poids des circonstances. Bref, ils font preuve, jusqu'au cœur du succès, d'une « sagesse de l'échec ». Est-ce un échec qui les a initiés ? David Bowie, par exemple, avait fait un bide avec son premier album, mi-folk mi-variété. Ou savent-ils d'instinct garder la tête froide ? Sentent-ils qu'une vie réussie ne peut-être qu'une vie en mouvement, en quête ?

Ils ont en tout cas suivi leur vie entière les recommandations de l'avant-dernière strophe du poème *If* de Rudyard Kipling :

> *« Si tu peux rencontrer Triomphe après Défaite*
> *Et recevoir ces deux menteurs d'un même front,*
> *Si tu peux conserver ton courage et ta tête*
> *Quand tous les autres les perdront… »*

« *Ces deux menteurs* », car « *Triomphe* » nous ment autant que « *Défaite* » dès que nous le laissons nous résumer, nous définir, nous enfermer. La défaite nous ment quand elle nous fait croire que nous sommes un raté. Le succès nous ment lorsqu'il nous invite à confondre une réussite conjoncturelle ou une image sociale avec ce que nous sommes au fond. Mais comment « *conserver sa tête* » jusque dans l'ivresse du succès ? En ne perdant jamais de vue que la seule réussite qui compte est celle de notre aventure humaine et que le véritable enjeu est de se montrer à la hauteur de cette humanité, dans le succès comme dans l'échec. C'est d'ailleurs l'envol du poème :

> « *Et, ce qui vaut mieux que les Rois et la Gloire,*
> *tu seras un homme, mon fils.* »

En écoutant l'entraîneur de l'équipe de France de handball Claude Onesta répondre à des journalistes, j'ai souvent été surpris par son ton. C'était chaque fois après une grande victoire, les Experts venaient de gagner un nouveau titre, de battre un record supplémentaire, l'ambiance était à la liesse, à l'euphorie. Lui restait calme, posé, une pointe d'inquiétude dans les yeux et dans la voix. Il analysait la victoire avec autant de soin que s'il s'était agi d'une défaite. En éteignant le son de la télévision, on aurait pu douter de l'issue du match. J'ai compris pourquoi en lisant son livre, *Le Règne des affranchis*. À chaque victoire, il se demande comment se renouveler. Pour rester au meilleur niveau, explique-t-il, il ne faut jamais appliquer deux fois de suite la même stratégie. Surtout quand on est champions du monde et que toutes les équipes concurrentes analysent votre jeu. « *Le triplé historique et tous ces falbalas*, écrit-il, *je m'en fous. Je n'ai qu'une préoccupation en tête, bien plus modeste, bien plus complexe. Comment fait-on pour gagner la fois d'après, sachant que les autres vont tout mettre en œuvre pour nous faire échouer ? C'est cette espèce de rébus qui, intellectuellement, me passionne.* » Belle leçon : là même où d'autres essaieraient de répéter « la recette qui marche », Claude Onesta sait l'impérieuse nécessité de continuer à inventer. Gagner, pour lui, c'est gagner contre la prévision, avoir toujours un coup d'avance. « *Si votre style de jeu est figé dans des principes et des schémas intangibles*, affirme avec force cet ancien professeur d'EPS, *vous êtes morts. Pour prendre l'exemple de l'équipe de France, nous possédons une quinzaine d'enclenchements d'attaque dans notre besace tactique. À écouter les joueurs, je devrais planifier la première, la deuxième, la troisième, la quatrième phase de toutes ces options. Ce type de canevas les rassure. Comme il rassure les entraîneurs de tableau noir. Moi, pas. Au-dessus des systèmes, je place l'esprit d'initiative. À la répétition, je préfère l'intention.* »

Réussir son succès, c'est se méfier de l'ivresse satisfaite et lui préférer une joie de créateur, plus profonde et plus soucieuse. C'est prendre le succès comme une invitation à persévérer dans l'audace – à « *conserver son courage* », écrit Rudyard Kipling. C'est considérer que le succès oblige, qu'il donne une responsabilité nouvelle. Le simple fait que les Experts aient si souvent changé de nom – d'abord baptisés les Bronzés, ils se sont appelés ensuite les Barjots, puis les Costauds et finalement les Experts – est en lui-même un symbole de cette méthode par laquelle ils ont « réussi leurs succès » : se méfier des étiquettes qui enferment ou des titres qui endorment, « changer tout » le plus souvent possible, surtout quand « tout » marche.

Rafael Nadal a gagné Roland-Garros pour la première fois en 2005, à l'âge de 19 ans. Son oncle Tony l'a rejoint dans les vestiaires et s'est adressé à lui en ces termes : « *Tu sais, beaucoup de ceux qui ont gagné ici pensaient que ce n'était que la première fois, et ça a été la dernière.* » Quelques minutes seulement après le sacre de son poulain sur la terre battue parisienne, voilà ce que son entraîneur avait jugé essentiel de lui dire : méfie-toi de cette victoire. Elle pourrait n'être qu'un couronnement, il t'appartient d'en faire un commencement – « *Conserve ton courage et ta tête, quand tous les autres les perdront.* »

Il semble que Rafael Nadal ait entendu le message : ce sera le premier de ses neuf titres à Roland-Garros. Aucun joueur dans l'histoire n'a remporté neuf fois le même tournoi.

« *Un élu, c'est un homme que le doigt de Dieu coince contre un mur* », prévient Sartre dans *Le Diable et le bon Dieu.* Génie de la formule et passion de la liberté : nous reconnaissons l'auteur de *L'existentialisme est un humanisme.* Rien de surprenant à ce qu'il voie dans le succès le risque d'être « coincé », aliéné même, dépossédé de sa liberté. Dans son œuvre romanesque, Sartre a souvent raillé ces figures de notables parvenus, barricadés dans leur fonction sociale, mourant à petit feu à force de se croire « arrivés ». Il refusa le prix Nobel en 1964 en partie pour cette raison : il ne voulait pas être défini par son Nobel, porter cette étiquette au front jusqu'à la mort, et même après. Il aspirait à continuer à s'exprimer librement, sans engager par ses prises de position l'Académie suédoise. Il ne voulait déjà pas « être » Jean-Paul Sartre, il ne pouvait pas en plus « être » Nobel.

Quelques années plus tôt, en 1957, recevant à 44 ans le prix Nobel de littérature, Camus avait eu la même crainte, la même méfiance à l'égard du coût du succès. Mais sa réaction fut différente.

D'une part, en acceptant cette distinction, il affirma dans son discours qu'elle n'était pas seulement « la sienne » : « *Je voudrais la recevoir comme un hommage rendu à tous ceux qui, partageant le même combat, n'en ont reçu aucun privilège, mais ont connu au contraire malheur et persécution.* » C'était déjà une bonne manière de ne pas s'y trouver enfermé.

D'autre part, porté par cet honneur, il redoubla de travail et de créativité, se jetant avec une force nouvelle dans l'écriture de son « roman d'éducation », *Le Premier Homme*, dans lequel il revenait sur son enfance algérienne, les tourments de la guerre et la difficile question de la fidélité aux siens. Conscient du risque de voir son inspiration tarie par une reconnaissance si immense, et si précoce, obtenue au détriment d'André Malraux qui fut l'un des maîtres de sa jeunesse, il réagit par un surcroît d'audace. Il reçut cette distinction comme une charge, une responsabilité.

Comme s'il avait voulu prouver rétroactivement, par ce livre personnel et ambitieux, parfois considéré comme son meilleur, qu'il en était digne. Pendant les mois qui suivirent l'attribution de son prix, lorsque les journalistes le questionnaient sur cette reconnaissance, il répondait en évoquant combien son travail en cours l'accaparait.

Ce Nobel l'obligeait, au sens le plus noble. « *Les vrais artistes*, déclare Camus dans son discours à l'Académie de Suède, *ne méprisent rien ; ils s'obligent à comprendre au lieu de juger. Et, s'ils ont un parti à prendre en ce monde, ce ne peut être que celui d'une société où, selon le grand mot de Nietzsche, ne régnera plus le juge, mais le créateur.* »

Réussir ses succès, c'est les vivre comme autant d'occasions d'assumer sa responsabilité de créateur.

Claude Onesta ou Tony Nadal connaissent le coût du succès, et savent comment ne pas se retrouver « coincé contre un mur » par le doigt du triomphe. Lorsque Claude Onesta explique que sa seule préoccupation – « *comment fait-on pour gagner la fois d'après ?* » – est à la fois « *bien plus modeste* » et « *bien plus complexe* », il sait combien il est difficile de rester humble dans le succès. Là est pourtant la force des plus grands : se remettre en question au cœur même de la victoire.

Dans *Open*, son autobiographie, André Agassi raconte qu'il a remporté des matchs en jouant d'une manière approximative. Il lui arrivait même de se trouver mauvais alors qu'il était numéro un mondial.

Il s'en explique : jouer mieux que les autres ne signifie pas jouer bien. Par rapport aux autres, il est meilleur. Par rapport à lui, à son exigence, à la créativité tennistique à laquelle il aspire, à son plaisir surtout, il ne joue pas assez bien. Ce qui pouvait sembler de l'arrogance n'est en fait que de l'humilité, la forme la plus haute de l'humilité, celle-là même dans laquelle communie aussi le clan Nadal. Parmi les champions actuels, Rafael Nadal est d'ailleurs celui qui prend le plus de temps pour signer des autographes, rencontrer ces enfants qui l'adorent et rêvent de repartir avec leur bout de papier froissé, mais signé de *Rafa*.

À la fin de sa fameuse conférence, donnée à Stanford le 12 juin 2005, Steve Jobs conclut par une injonction : « *Stay hungry, stay foolish !* », souvent traduite par « Restez insatiables, restez fous ». Le conseil est plus fort si nous collons aux termes anglais : restez affamés, restez insensés, ou même, restez idiots ! Il n'y a pas meilleure méthode pour réussir ses succès.

Restez affamés : gardez au fond de vous la morsure de ce manque, qui est l'autre nom du désir.

Restez idiots : si l'intelligence consiste à croire que ce qui a marché une fois fonctionnera de nouveau, détournez-vous-en. Mieux vaut dans ce cas rester « idiots » : « *savoir*, comme le disait Paul Valéry, *ignorer pour agir* ».

« Affamé », « insensé », toujours en quête, se renouvelant autant dans ses innombrables succès que dans ses échecs : voilà un portrait fidèle de David Bowie.

Deux jours avant sa mort en janvier 2016, il sortait un nouvel album, son vingt-huitième, *Blackstar*, qui explorait des sonorités inédites. Sa carrière s'est étendue sur plus de cinquante ans, durant lesquels il a voyagé d'un genre à l'autre, d'une « identité » à l'autre aussi, empruntant différents visages. Il fut David Robert Jones puis David Bowie, Ziggy Stardust puis le chanteur pop de *Let's dance*, dandy androgyne puis viril à la mèche de *bad boy*, l'aristocrate au teint livide de *Station to station* puis le clown triste de *Ashes to Ashes*. Celui qui fit dans sa jeunesse un détour par le mime s'est imposé avec le glam rock de *Ziggy Stardust*, avant de connaître un succès plus grand encore avec la pop efficace mais décalée de *Let's dance*. Loin de se complaire dans le personnage glamour et apocalyptique qui l'avait révélé, il a tenté autre chose. C'est alors qu'il est vraiment devenu une star planétaire, chantant *China Girl*, *Let's dance* ou *Modern Love* dans des stades pleins à craquer aux quatre coins du monde. Il connaîtra bien d'autres mues, deviendra même le chanteur très rock de *Tin Machine* avant de s'ouvrir à des musiques contemporaines comme la techno ou la drum and bass. Il vendra au total près de 140 millions d'albums, sera aussi peintre et producteur, notamment de ses amis Iggy Pop ou Lou Reed, « réussissant » même les succès des autres !

Claude Onesta analysait la victoire comme s'il s'était agi d'une défaite. David Bowie, lui aussi, donne l'impression de se réinventer après chaque période comme s'il avait connu l'échec. De fait, il s'est autant renouvelé à l'occasion de ses succès que de ses échecs. Il est resté « affamé » jusqu'au dernier jour.

Après ses grands concerts, Prince aimait se produire dans des « *after shows* » improvisés. Ceux qui ont eu la chance de voir le kid de Minneapolis donner toute la mesure de son génie dans des bars ou clubs confidentiels racontent la même chose. Prince changeait d'instrument au gré de ses envies dans une liberté folle encore accrue par la fatigue d'après-concert, et lorsqu'un fan lui demandait de jouer l'un de ses plus grands hits, le chanteur prenait toujours soin d'argumenter son refus : « *Si vous êtes venus pour* Purple Rain, *vous vous êtes trompés de maison, ce qui compte n'est pas ce que vous connaissez déjà, mais ce que vous êtes prêts à découvrir.* » Il ne voulait pas « s'endormir sur ses lauriers » de roi couronné et célébré de la pop music – nous entendons enfin le sens si noble de cette expression rebattue – et en exigeait autant de son public. C'était, comme il l'a confié un jour, sa manière de vivre son art : « *Nous allons tous mourir un jour. Mais avant que cela n'arrive, je vais danser ma vie.* »

Au fond, en quoi David Bowie ou Prince se distinguent-ils de ceux qui répètent à l'envi la recette du succès, jusqu'à devenir des caricatures d'eux-mêmes ? En quoi Leonardo DiCaprio, jouant successivement un déficient mental dans *Gilbert Grape* et un héros romantique dans *Roméo et Juliette*, un trader fou dans *Le Loup de Wall Street* et un trappeur bestial dans *The Revenant*, se distingue-t-il de ces acteurs incarnant toujours le même type de personnage ? En quoi Emmanuel Carrère – passant de *L'Adversaire*, inspiré du criminel Jean-Claude Roman, au poignant *D'autres vies que la mienne* et à cette enquête sur le christianisme qu'est *Le Royaume* – se distingue-t-il de tous ces auteurs qui publient régulièrement le même livre ?

Ils sont plus vivants que les autres. Ils œuvrent en artistes et non en techniciens. Ils nous offrent des leçons de vie et pas seulement des moments de détente. Ils nous montrent la nature d'une existence tendue vers le nouveau, audacieuse jusque dans le succès, gonflée d'elle-même, de cette force qu'évoque si bien Nietzsche lorsque, dans *Ainsi parlait Zarathoustra*, il donne la parole à la Vie : « *Vois-tu, je suis ce qui doit toujours se surmonter soi-même.* »

Réussir ses succès, c'est comprendre qu'ils doivent être *surmontés* autant que des échecs.

14

La joie du combattant

> « *Il n'est de joie véritable que si elle est en même temps contrariée : la joie est paradoxale, ou n'est pas la joie.* »
>
> CLÉMENT ROSSET

Sans nos ratés, nos déconvenues, les satisfactions les plus profondes de l'existence nous resteraient inconnues. On le pressent : l'échec a un lien avec la joie. Peut-être pas avec le bonheur, mais avec la joie.

Le bonheur est un état durable de satisfaction existentielle, la joie ne désigne que l'instant d'un jaillissement. Le bonheur implique une forme de sérénité, d'équilibre. La joie est plus brutale, ponctuelle, parfois irrationnelle. Ne disons-nous pas, lorsque cette émotion nous submerge, que nous sommes « *fous de joie* » ? Une trop grande quantité de soucis interdit le bonheur, mais pas les instants de jubilation.

Cette joie – je propose de l'appeler « joie du combattant » – peut prendre plusieurs formes.

La joie de revenir de loin

La première est la plus évidente : c'est la satisfaction que nous éprouvons lorsque, au terme d'un long chemin, après des échecs et des désillusions, nous réussissons enfin. C'est la joie particulière de revenir de loin, qui donne tant de saveur au triomphe tardif.

« *Trop peu d'honneur pour moi suivrait cette victoire,*

À vaincre sans péril, on triomphe sans gloire », rétorque le Comte à Don Rodrigue dans *Le Cid* de Corneille.

Si les victoires faciles sont des « triomphes sans gloire », elles offrent moins de joie que les succès difficiles, arrachés dans la douleur. La difficulté de la conquête nous permet d'en estimer le prix.

C'est exactement ce que raconte André Agassi dans les plus belles pages d'*Open*. Sur toutes ces victoires en Grand Chelem, son titre à Roland-Garros en 1999 lui apporta, de loin, la joie la plus folle. Or, cette victoire signe son retour, la fin d'une longue descente aux enfers dans la dépression, le bas du classement ATP et même les drogues dures.

Après avoir dominé le tennis mondial au milieu des années 1990, le « Kid de Las Vegas » a connu un passage à vide. Ce qu'il avait toujours pressenti est devenu une évidence : il ne savait pas pourquoi il était devenu tennisman. Entraîné par un père obsessionnel, il avait passé la totalité de son enfance à jouer contre une machine à renvoyer les balles, que son père avait fait construire lui-même ! Il avait ensuite séjourné à la

Nick Bolletieri Academy, changeant la tyrannie paternelle pour celle d'un coach. Résultat : le jour où il est devenu numéro un mondial pour la première fois, à 25 ans, en 1995, il n'a rien ressenti.

La scène est singulière. Il reçoit un coup de téléphone. Le classement ATP vient d'être actualisé. La bonne nouvelle ne lui fait rien. Il marche dans la rue, absent à lui-même et au monde. Il se dit qu'il n'a pas choisi sa vie, qu'il n'a fait qu'accomplir le désir de son père. Il se répète que ce sport lui a volé son enfance, qu'il n'a lu aucun livre, qu'il ne sait rien faire d'autre. Il reste sur le trottoir, sonné : il est peut-être le meilleur joueur du monde, mais il déteste le tennis. Il découvre à peu près en même temps le vrai visage de sa femme, l'actrice et mannequin Brooke Shields. Un être égoïste et superficiel, suggère-t-il dans *Open*. Ils viennent de se marier mais ne font que se croiser. Il préfère rester à la maison le soir, elle n'aime que les soirées mondaines, débarque avec des amis bruyants au petit matin de finales importantes, ne lui pose jamais de questions sur ses matchs. Il ne trouve plus goût à rien, divorce, cesse de s'entraîner, et commence à décliner. Il grossit, se drogue, perd quasiment tous ses matchs et dégringole jusqu'à la trois centième place du classement ATP. Méconnaissable sur le court, positif lors d'un contrôle anti-dopage à cause des stupéfiants, il risque même de se voir retirer ses titres, pourtant conquis sans l'aide d'aucune substance. Il est à deux doigts d'arrêter le tennis quand la fille de son meilleur ami Gil se fait renverser par une voiture. Elle est entre la vie et la mort. Choqué, sortant d'une nuit de défonce, il roule vers l'hôpital. Apercevant

Gil, livide, dans le couloir, il est submergé par un élan d'amour. Pour son ami, pour sa fille, pour l'existence elle-même. C'est une révélation. Il se dit que la vie est faite pour ça : donner de l'amour aux êtres qui comptent. La fille de Gil survivra, lui revivra : il décide de se remettre au tennis mais, cette fois, il sait pourquoi. Lui qui a toujours souffert de n'avoir pas de formation intellectuelle veut créer une fondation pour enfants défavorisés. Pour la financer, il doit redevenir numéro un mondial. Si le tennis peut porter ce projet, alors il aimera le tennis. Mais la route sera longue. Lourd sur le court, lent dans ses déplacements, il doit reconquérir sa place. Pour remonter au classement, il participe à des tournois « Challenger » devant des publics de quelques dizaines de personnes. Il a été le meilleur joueur du circuit et le voilà revenu cinq ans en arrière, moqué par ceux qui l'ont tant jalousé. Plus personne ne croit en lui, sauf Brad Gilbert qui accepte de le coacher, et qu'il surnomme « le Prophète ». Peu à peu, il remonte la pente, retrouve ses sensations, son corps, enchaînant les séances de musculation et les footings de plusieurs heures. Il souffre, c'est plus dur que prévu. Il s'accroche. Il ne poursuit plus le rêve de son père, ni l'intérêt financier de la Nick Bolletieri Academy, mais son propre désir. Il veut faire quelque chose de bien. Et séduire Steffi Graf, dont il est tombé amoureux au premier regard, même si elle n'est pas libre. Ce sont de longs mois de reconquête. Il finit par gagner quelques titres mineurs puis, en 1999, après une série de matchs accrochés, se retrouve en finale de Roland-Garros. Il gagne contre Andreï Medvedev et voilà ce qu'il écrit : « *Je lève mes bras et ma raquette tombe à terre. Je suis en larmes. Je me frotte la tête. Je suis terrifié d'être submergé par une telle sensation de bonheur. Gagner ne devrait pas être aussi agréable. Gagner ne devrait jamais avoir autant d'importance. Mais si, c'est le cas, c'est le cas, je n'y peux rien. Je déborde de joie, de reconnaissance envers Brad, envers Gil, envers Paris – même envers Brooke et Nick. Sans lui, je ne serais pas ici. Sans les hauts et les bas avec Brooke, sans la souffrance des derniers jours, ceci n'aurait pas pu être possible. Je me réserve une certaine reconnaissance envers moi-même, pour tous les choix, bons et mauvais, qui m'ont mené jusqu'ici.* »

C'est parce qu'il revient de loin que sa joie est si grande. Les succès faciles n'ont pas cette épaisseur ; ils semblent irréels, nous glissent dessus. Son émotion, à Roland-Garros en juin 1999, est riche de toute sa souffrance, de tout son passé, de « *ses hauts et ses bas* », de tous ses choix, « *bons et mauvais* » – riche de ses échecs. Il y a de quoi aimer ses échecs, tant ils contribuent *in fine* à la profondeur de la joie.

« *Je quitte le court en envoyant des baisers dans les quatre directions*, reprend André Agassi, *le geste le plus sincère qui me vienne à l'esprit pour exprimer la gratitude qui me parcourt, cette émotion dont semblent découler toutes les autres émotions. Je fais le vœu d'agir ainsi désormais, que je gagne ou que je perde, chaque fois que je quitterai un court de tennis. J'enverrai des baisers aux quatre coins de la planète, des remerciements au monde entier.* »

« *La joie*, écrit Bergson dans *L'Énergie spirituelle*, *annonce toujours que la vie a réussi, qu'elle a gagné du terrain, qu'elle a remporté une victoire : toute grande joie a un accent triomphal.* »

André Agassi et ses proches fêteront ce triomphe toute la nuit dans un petit restaurant italien, au cœur de Paris, en compagnie de John McEnroe qui tiendra à les rejoindre. Björn Borg l'appellera sur le portable de John McEnroe pour lui dire que c'est la plus belle victoire de l'histoire du tennis.

« *Quand Brad et moi reprenons le chemin de l'hôtel,* écrit André Agassi, *le soleil est en train de se lever. Il passe son bras autour de moi et dit :*

— *Le voyage s'est terminé comme il fallait.*

— *Comment ça ?*

— *D'habitude, dans la vie, ça se termine foutrement mal. Mais pas cette fois-ci.*

Je balance un bras autour de Brad. C'est une des seules choses que le Prophète n'a pas comprises ce mois-ci. Le voyage ne fait que commencer. »

Ce titre à Roland-Garros marquera effectivement son retour durable au plus haut niveau. Il redeviendra numéro un mondial (à 33 ans, personne n'a depuis occupé ce rang à un âge si élevé) et réinvestira l'argent gagné dans la création de la *Andre Agassi Foundation*.

La classe d'André Agassi revenu de si loin me fait penser à celle de John Travolta dansant le twist dans *Pulp Fiction*, de Quentin Tarantino.

Avant que le réalisateur n'ait l'idée de faire appel à la star de *Grease* et de *La Fièvre du samedi soir*, l'acteur avait connu, lui aussi, un long passage à vide. Les années disco étaient loin. Il avait enchaîné, dans les années 1980, les flops commerciaux et critiques.

Du début des années 1980 au milieu des années 1990, il renoua parfois avec le succès, mais via des comédies indignes de son talent, comme *Allô maman, ici bébé*. Quand, en 1994, Quentin Tarantino fait appel à lui, John Travolta a tout du *has been*. Plus personne ne propose de rôle intéressant à ce danseur empâté, symbole d'une époque révolue. Quentin Tarantino va le faire, en jouant de surcroît de cette image de *has been* rescapé du disco. Dans la scène culte où John Travolta danse avec Uma Thurman, il a la beauté fatiguée de ceux qui ont vécu. Il a un peu de ventre, les joues d'un homme qui n'a plus 20 ans mais aussi, dans sa manière de bouger, une élégance placide et une humanité qui font de cette séquence un grand moment de cinéma. Il n'aurait jamais pu danser ainsi s'il n'avait connu ces années de déclin. La joie d'André Agassi gagnant Roland-Garros en 1999 était riche de ses échecs, la grâce de John Travolta dansant dans *Pulp Fiction* est riche de ses années de *lose*.

Il sera nominé pour l'oscar du meilleur acteur et *Pulp Fiction* obtiendra la Palme d'Or au festival de Cannes : sa carrière sera relancée et il redeviendra l'un des acteurs les plus demandés au monde. Ses succès ultérieurs (*Volte/Face*, *La Ligne rouge*…) auront une saveur qu'ils n'auraient jamais eue s'il avait été un *winner* parmi d'autres.

La joie de vivre

La joie du combattant peut aussi revêtir le visage de la joie la plus prosaïque, la plus quotidienne : la joie de vivre. Lorsqu'on a traversé les épreuves, on sait le goût des plaisirs simples.

Les musiciens ayant travaillé en studio avec Barbara ont souvent confié leur étonnement devant sa bonne humeur, sa simplicité. Connaissant son histoire et ses chansons, son enfance dévastée et ses années de galère, ils imaginaient une femme intense et grave. Or, c'est par sa gaieté que Barbara les surprenait. À table, elle est une « bonne vivante » aimant plaisanter. En tournées, sur les routes, elle rit à la moindre occasion. La joie de vivre n'est pas la joie de vivre selon tel ou tel critère, en ayant obtenu telle récompense ou atteint tel niveau de revenu : elle est la joie de vivre *tout court ;* elle se suffit à elle-même. Nous devons parfois connaître l'échec pour être conduits au seuil de cette vérité de la joie, si bien résumée par le philosophe Clément Rosset dans *La Force majeure* : « *Il n'est pas de signe plus sûr de la joie que de ne faire qu'un avec la joie de vivre.* »

J'ai rencontré certains entrepreneurs dont l'attitude m'a impressionné. Dans des situations tendues, à l'heure de décisions difficiles, ils m'ont étonné par leur sérénité, leur manière enjouée d'accomplir leurs tâches. Chaque fois, il s'agissait d'entrepreneurs qui avaient déjà fait faillite ou déposé le bilan. Dans ce qu'ils avaient enduré, ils avaient trouvé la force de relativiser. Tant d'autres, qui n'ont pas connu l'échec, vivent leur quotidien dans l'angoisse et la pression, en étant parfois odieux avec leurs collaborateurs. Si nos échecs peuvent donner un goût particulier aux succès qui les suivent, ils ont aussi le pouvoir de nous faire apprécier autrement l'écoulement des jours, le calme après la tempête.

« *Marcher dans une forêt entre deux haies de fougères transfigurées par l'automne, c'est cela un triomphe. Que sont à côté suffrages et ovations ?* » Il y a du génie dans cette formule si ramassée de Cioran. Quel plus grand triomphe en effet que de contempler la beauté de la nature en se sentant vivant au milieu du monde ? Ce triomphe est d'autant plus puissant que nous avons traversé des épreuves. Il n'est peut-être même accessible qu'à celles et ceux qui en ont traversé.

La joie dans l'adversité

Comment définir cette joie que nous ressentons au cœur de l'adversité, lorsque nous sommes contraints de puiser en nous énergie et ressources pour pouvoir rebondir, ou simplement tenir ? Proche de l'élan vital, elle a besoin de la difficulté pour se déployer. C'est la joie du combattant, dans sa forme la plus pure : une joie dans l'adversité.

Étrange joie, pourrait-on penser, que cette joie s'éprouvant face à la menace. Mais c'est sans doute la plus forte, la plus pure : celle que nous opposons à l'âpreté de l'existence ou à la violence du monde, comme une réponse, une réaction.

Comprendre la nature de la joie dans l'adversité permet de mesurer ce qui distingue pleinement la joie du bonheur. Lorsque nous sommes heureux, satisfaits, l'ombre planant sur notre bonheur ne l'accroît pas

– bien au contraire. Notre joie, quant à elle, semble trouver sa plus haute intensité, sa vérité même, lorsqu'elle est menacée.

Ray Charles continue d'éprouver de la joie après avoir perdu son frère, la vue et sa mère : voilà la joie dans l'adversité.

« *Le succès*, a déclaré Winston Churchill, *c'est aller d'échec en échec sans perdre son enthousiasme* » : cet « enthousiasme » donne une idée assez précise de la joie dans l'adversité.

C'est elle aussi qui jaillit dans le cœur du général de Gaulle lorsqu'il part pour Londres en juin 1940.

Dans le regard de Thomas Edison qui enchaîne les nuits blanches en espérant faire jaillir la lumière.

Dans le corps du judoka qui chute mais sent qu'il est loin de rester au tapis.

Dans les épaules du boxeur qui encaisse les coups et se prépare à allonger sa droite.

En nous aussi, chaque fois que notre ratage nous redonne du courage, ou que le retour de l'élan vital balaie notre abattement.

La joie du « progrediens »

Cette joie d'affronter l'adversité se double souvent d'un développement de nos talents ou de nos compétences. L'un des grands plaisirs de l'existence est de progresser, d'utiliser les occasions que la vie nous offre pour, expliquait déjà Aristote, « *actualiser sa puissance* ». Les philosophes antiques utilisaient le joli terme de « *progrediens* » pour dépeindre l'homme qui, sans être arrivé à sa perfection, s'améliore chaque jour un peu plus. Être un « *progrediens* », avancer sur le chemin : voilà le but d'une existence.

Or, il est des facultés que seul l'échec ou la résistance du réel nous permet de développer.

Léonard de Vinci mettait des années à réaliser ses tableaux. Il passera quinze ans sur *La Vierge, l'Enfant Jésus et Sainte Anne*, inachevé à sa mort. Il faut l'imaginer, élaborant son chef-d'œuvre pendant toutes ces années. Il retouche, rectifie, ajuste, affine. Doute, hésite, même devant ses élèves, songe à abandonner, et puis se reprend, saisi d'une fureur créative. Tout contre son tableau, il éprouve cette joie du « *progrediens* » qui n'est pas le bonheur. S'il n'échouait jamais, s'il n'avait cette crainte d'abandonner, il ne progresserait pas autant – et sa joie serait moindre.

« *La joie*, écrit Spinoza de manière lumineuse, *est le passage d'une moindre à une plus grande perfection.* » Voilà pourquoi nous trouvons parfois la force de continuer à nous battre au cœur même de l'échec : en nous donnant la chance de mieux comprendre le monde ou de développer nos talents, ils permettent cet accroissement en nous, ce « *passage d'une moindre à une plus grande perfection* ».

Nous saisissons mieux ce qui a aidé J.K. Rowling à tenir lorsque, sans argent ni domicile, meurtrie par le sentiment de l'échec, elle couchait sur le papier les aventures de Harry Potter. C'est une joie double. Une joie dans l'adversité : celle de trouver en elle la force de résister. Et une joie de « *progrediens* » : elle apprenait à construire une histoire, à poser des personnages, à les faire évoluer de manière cohérente, à inventer un univers.

Il faut l'imaginer, elle aussi, penchée sur ses feuilles dans ce pub à la devanture de bois rouge. La réalité de ses échecs lui avait montré qu'elle était capable de trouver de la joie tout contre l'adversité. Peu à peu, sa joie de « *progrediens* » l'aidait à cicatriser sa blessure.

La joie mystique

Enfin, nos échecs peuvent nous faire découvrir la joie la plus radicale – la plus « folle » peut-être : l'approbation de tout ce qui est. Le combattant, dans ce cas, ne lutte plus. Mais son abandon, s'il n'a rien de « combatif », reste une affirmation, un consentement puissant.

Pour les stoïciens, les premiers chrétiens ou la plupart des grands mystiques, la vraie joie s'atteint dans le dénuement, dans le dépouillement. Il faut savoir abandonner ce qui nous rend superficiellement heureux – petits succès, reconnaissance sociale, pouvoir – pour toucher l'essentiel, que les stoïciens nomment énergie cosmique, les chrétiens Dieu, et que les mystiques se refusent à nommer. La difficulté de la vie peut nous conduire au seuil de cet abandon, et nous offrir cette rencontre avec l'essentiel. L'échec le plus radical confine alors à la réussite la plus totale : c'est la joie mystique.

Dans *La Force majeure*, Clément Rosset évoque cette joie paradoxale : « *On trouve un autre exemple frappant de cette euphorie contradictoire dans un souvenir d'enfance de Michelet : "Je me rappelle que dans ce malheur accompli, privations du présent, craintes de l'avenir, l'ennemi étant à deux pas (1814 !), et mes ennemis à moi se moquant de moi tous les jours, un jour, un jeudi matin, je me ramassai sur moi-même, sans feu (la neige couvrait tout), ne sachant pas trop si le pain viendrait le soir, tout semblait fini pour moi, – j'eus en moi, sans nul mélange d'espérance religieuse, un pur sentiment stoïcien – je frappai de ma main, crevée par le froid, sur ma table de chêne (que j'ai toujours conservée), et sentis une joie virile de jeunesse et d'avenir." De tels textes rappellent que la joie, telle la rose dont parle Angelus Silesius dans* Le Pèlerin chérubinique, *peut à l'occasion se passer de toute raison d'être. Ils suggèrent ainsi que c'est peut-être dans la situation la plus contraire, dans l'absence de tout motif raisonnable de réjouissance, que l'essence de la joie se laissera le mieux saisir.* »

Quoi de mieux que nos échecs pour nous conduire dans cette « *situation la plus contraire* », où « *l'absence de tout motif raisonnable de réjouissance* » nous permettra enfin de saisir l'essence de la joie ?

Nous pouvons trouver cette idée excessive. Nous y retrouvons toutefois, symbolisée par la main de Michelet frappant la table de chêne, l'idée que la joie s'éprouve dans le contact avec la réalité. Être joyeux, c'est toujours prendre acte du réel, savoir trouver en lui quelque chose à aimer : le corps de l'autre dans l'amour, le rayon du soleil sur ma joue, mes muscles qui se développent dans l'exercice physique, même si je suis dans une cellule de prison…

Les mystiques que nous avons évoqués ont beau avoir renoncé à tout, il leur reste l'essentiel : le réel, traversé pour certains de l'énergie du Cosmos, pour d'autres de l'amour de Dieu ou de la force de la Vie.

*

« *La joie a toujours maille à partir avec le réel ; tandis que la tristesse se débat sans cesse, et c'est là son malheur propre, avec l'irréel* », explique justement Clément Rosset.

Sans être mystiques, lorsque nous éprouvons la joie du combattant, nous rencontrons nous aussi le réel : celui de notre triomphe tardif (qui nous procure la joie de revenir de loin), celui de notre simple présence au monde (qui nous apporte la joie de vivre), celui de notre capacité à résister dans l'épreuve (qui nous offre la joie dans l'adversité), celui des progrès effectifs que nous accomplissons (qui nous fait découvrir la joie du « *progrediens* »).

Joie et échec, loin de s'opposer, se révèlent ainsi philosophiquement liés : l'un comme l'autre sont une expérience du réel. Nous comprenons mieux pourquoi nos échecs ne sont pas forcément synonymes de tristesse, mais peuvent nous aider à reprendre pied, à nous engager sur le chemin de la joie.

15

L'homme, cet animal qui rate

> « *L'homme est le seul animal dont l'action soit mal assurée, qui hésite et tâtonne, qui forme des projets avec l'espoir de réussir et la crainte d'échouer.* »
>
> HENRI BERGSON

À ce stade de notre réflexion, un soupçon vous gagne peut-être. N'accordons-nous pas à l'échec une place trop grande ? N'y a-t-il pas des échecs qui ne nous apprennent rien ? D'autres dont on ne se relève pas ?

Pour répondre, un détour par l'anthropologie s'impose.

« *Pouvez vous imaginer une araignée, qui ne sache pas tisser sa toile ?* » demandait avec malice Michel Serres au public de l'une de ses conférences. L'araignée ne peut pas rater parce qu'elle obéit à son instinct, ne fait que suivre le code de sa nature. De la même façon, les abeilles ne commettent pas d'erreur dans la transmission d'informations. Leurs signaux sont parfaitement émis, parfaitement reçus – aucun malentendu chez les abeilles. « *L'animal ne peut pas rater* », concluait le philosophe. Il n'en va pas de même des humains. Nous ne réussissons pas toujours à nous comprendre, et peu d'entre nous sont capables de se construire un abri en forêt. Mais nous avons inventé la littérature et l'architecture.

Ce qui se constate au niveau de l'espèce se constate également au plan individuel : plus nous échouons, plus nous apprenons et découvrons. Parce que nos instincts naturels ne sont pas suffisamment forts pour nous dicter notre comportement, nous procédons par essais successifs, développons des raisonnements et des savoir-faire, inventons, progressons. Les choses sont moins simples pour le petit humain que pour tout autre jeune animal, mais cette difficulté nous élève au-dessus d'eux. Moins déterminés par notre code naturel, nous rencontrons plus d'obstacles mais, en les franchissant, nous allons plus loin que s'ils n'avaient existé.

Comparez un nourrisson et un poulain le lendemain de leur naissance. Le nouveau-né ne sait ni parler, ni marcher. Avant de réussir à mettre un pas devant l'autre, il chutera en moyenne deux mille fois – deux mille échecs avant le premier succès.

Le poulain, lui, n'a pas à parcourir ce long chemin de croix. À peine sorti du ventre de sa mère, il déplie ses pattes, se redresse et, en quelques minutes parfois, se met à marcher. Preuve, nous disent les éthologues, que le poulain naît à terme. En lui, la nature a achevé son œuvre. Il n'a plus qu'à suivre son instinct.

À l'inverse, le nouveau-né semble venu au monde trop tôt, comme inachevé. Il devra donc compenser ce handicap originel. L'idée n'est pas nouvelle : les philosophes grecs de l'Antiquité estimaient déjà que les hommes avaient été « négligés » par la nature. Et voyaient la culture comme le fruit indirect de cette négligence. Cette hypothèse court tout au long de l'histoire de la philosophie. « *En un mot*, résume par exemple Fichte en 1796, *tous les animaux sont achevés et parfaits, l'homme est seulement indiqué, esquissé... La nature a achevé toutes ses œuvres mais elle a abandonné l'homme et l'a remis à lui-même.* »

Délaissé, inachevé, le petit humain va devoir, pour progresser, tirer des leçons de ses échecs. Mieux, il va apprendre aussi des échecs de ses aïeux, ce qui est le propre d'une civilisation. Trois mois après sa naissance, le nouveau-né aura parcouru un chemin extraordinaire. Pas le poulain. Le petit homme mettra entre dix et quinze mois pour réussir à marcher, mais il finira par conduire des voitures et piloter des avions.

Rousseau voit dans cette « *perfectibilité* » le propre de l'humain : libéré de la soumission à l'instinct, il peut s'améliorer sans cesse, en rectifiant ses erreurs. La perfectibilité, écrit-il, est « *cette faculté qui, à l'aide des circonstances, développe successivement toutes les autres, et réside parmi nous tant dans l'espèce que dans l'individu, au lieu qu'un animal est, au bout de quelques mois, ce qu'il sera toute sa vie, et son espèce, au bout de mille ans, ce qu'elle était la première année de ces mille ans* ».

Savoir vivre, pour les animaux humains que nous sommes, c'est savoir rater, faire quelque chose de ses ratés, et de ceux de l'espèce. Certes, les animaux apprennent parfois de leurs échecs. Le putois comprend où attraper le rat pour qu'il ne le morde pas une nouvelle fois, le renard quelles baies éviter pour ne pas retomber malade. Mais cet apprentissage est minime au regard de ce qu'ils savent d'instinct. Et, surtout, ils ne peuvent transmettre leur expérience aux générations suivantes.

Au début du XXe siècle, l'hypothèse d'un animal humain « inachevé » à la naissance a trouvé sa première confirmation scientifique. Le biologiste néerlandais Louis Bolk a caractérisé en 1926 l'espèce humaine par sa prématuration, qu'il définissait par le terme de « néoténie ». Dans le prolongement de ses travaux, des zoologistes ont estimé, en comparant le développement embryonnaire des humains à celui des pongidés (chimpanzés, gorilles, orangs-outans) que la gestation chez les humains devrait durer vingt et un mois, au lieu de neuf. Des embryologistes, de leur côté, sont arrivés à la conclusion qu'il faudrait dix-huit mois aux cellules du fœtus humain pour se développer jusqu'à leur terme. Il manque donc entre 9 et 13 mois de gestation au fœtus humain : le raté de la nature est consacré.

C'est bien parce que nous arrivons au monde trop tôt que nous allons devoir apprendre de nos tentatives, de nos tâtonnements, de nos échecs.

Allons plus loin : nous ne sommes pas simplement des animaux qui ratons et apprenons de nos échecs et de ceux de notre espèce. Nous sommes des animaux ratés, nés trop tôt, imparfaits. Mais cet échec de la nature en nous est comme un feu puissant, le moteur de notre progrès.

Freud voit par exemple dans cette prématuration de la naissance – probablement due au fait que l'homme s'est redressé – l'origine de notre capacité à devenir des êtres doués de moralité. « *L'impuissance originelle de l'être humain devient la source première de tous les motifs moraux* », avance le savant dans l'un de ses premiers textes, *L'Esquisse pour une psychologie scientifique.* Comment, se demande Freud, ne pas se sentir responsables devant un nouveau-né si fragile ? Comment ne pas s'élever dans l'obligation de le protéger ? Nous deviendrions moraux pour contrebalancer ce raté de la nature. Nous deviendrions des êtres sociaux pour la même raison : pour compenser la dépendance du nouveau-né. L'importance des liens humains et de la famille aurait comme origine la détresse infantile, due à une naissance précoce.

L'échec de la nature en nous fait ainsi notre grandeur. L'homme est devenu homme le jour où il a refusé de laisser mourir un faible, où il s'est arrêté pour soutenir un vieillard. Il est devenu humain en refusant la loi naturelle de l'évolution : dans notre civilisation, les faibles aussi ont le droit de survivre.

Chacun d'entre nous répète dans l'enfance ce qui s'est joué dans l'histoire de l'évolution de notre espèce : nous grandissons en renonçant à notre agressivité naturelle. Très jeunes, nous intériorisons les interdits majeurs de notre civilisation : nous ne nous autorisons pas à exprimer nos pulsions les plus asociales, agressives ou sexuelles. Freud nomme ce processus « refoulement ». Ce refoulement, par lequel nous nous civilisons, va métamorphoser notre agressivité naturelle en une énergie – la « libido » – que nous allons réinvestir ailleurs : dans le travail, notre soif d'apprendre, notre créativité. Nous lui donnons une autre forme, la spiritualisons dans les œuvres de notre culture. Nous la « sublimons », pour reprendre le vocabulaire de Freud. Il est finalement heureux que nos pulsions naturelles échouent à atteindre leur but : c'est ainsi que nous devenons créatifs, civilisés, proprement humains.

Parce que nous sommes des animaux ratés, nous sommes capables de sublimation.

Parce que nous sommes capables de sublimation, nous sommes des animaux qui ratons mais pouvons rebondir, analyser nos échecs et continuer à progresser.

Chaque fois que nous doutons de la vertu de nos échecs, que nous nous sentons blessés ou amoindris, nous devrions nous souvenir de ce qui fait notre humanité : nous nous distinguons des bêtes parce que nous savons faire une force de nos échecs. De tous nos échecs.

Celui de la nature en nous, qui naissons avant terme.

Celui de nos pulsions agressives, que nous pouvons sublimer.

Et ceux que nous rencontrons dans nos projets, dont nous apprenons tant, même sans en avoir conscience.

Nous sommes des animaux qui ratons et des animaux ratés pour une seule et même raison : nous sommes libres. Descartes a développé, pour le montrer, la théorie des « *animaux machines* » qui a été si mal comprise.

Il faut concevoir les animaux comme des machines, affirme-t-il dans sa *Lettre au marquis de Newcastle*, pour comprendre le fonctionnement de leur corps. Penser le cœur du cheval comme une pompe, et ses artères comme des courroies de transmission, permet d'expliquer comment « marche » un cheval. Il lui a été reproché, par cette analogie, de nier la souffrance animale. L'auteur des *Méditations métaphysiques* savait pourtant que les animaux ressentaient de la souffrance. Par sa théorie, il voulait en fait souligner autre chose : les actions et réactions des animaux obéissent au code de l'instinct d'une manière si parfaite qu'elle est comme automatique, machinale. Par contraste, il espérait montrer combien notre comportement humain diffère. Nous ne « fonctionnons » pas comme des machines, et tant mieux ! Si les animaux étaient des machines qui marchent, nous serions plutôt des machines qui dysfonctionnent. Nous sommes en effet trop libres et trop complexes. Nous hésitons, doutons, sommes en proie au vertige et à l'angoisse. Aucun animal n'est capable, comme nous, de vouloir une chose et son contraire. Si parfois nous échouons à nous comprendre, c'est que nous n'utilisons pas le langage simplement pour émettre des messages ou envoyer des signaux. Être humain, c'est échouer à être une machine : voilà au fond ce que voulait dire Descartes, et c'est une très belle idée.

Nous sommes des animaux ratés et des machines qui ne marchent pas. Nos échecs le prouvent. Ainsi compris, ils nous confirment chaque fois, même lorsqu'ils semblent nous écraser, combien nous sommes libres.

Enfin, dans notre relation à notre désir, nous sommes aussi confrontés à une expérience de l'échec qui fait notre grandeur : nous éprouvons qu'il y a en nous un manque impossible à combler.

Les autres animaux – les animaux « réussis » – n'ont que des besoins. Une fois satisfaits, il ne leur manque rien. Il n'en va pas de même pour nous : quand nos besoins primaires sont satisfaits, nous continuons à éprouver du désir, à « manquer » de quelque chose. Notre désir est insatiable. À peine en avons-nous satisfait un qu'un autre lui succède. L'objet de notre premier désir nous apparaissait pourtant comme le Graal. Il a suffi que nous puissions l'atteindre pour que le Graal resurgisse ailleurs. Il semble qu'il y ait derrière les objets successifs de nos désirs quelque chose d'inaccessible : notre désir se distingue des besoins naturels en visant cet impossible.

Tout désir est en son fond désir d'éternité, estimait Platon. Hegel reprend la même idée, mais en remplaçant l'éternité par la reconnaissance. Pour lui, tout désir est au fond le désir de reconnaissance absolue de notre valeur, que nous ne pourrons, par définition, jamais obtenir. Chez Freud, au fond de tout désir il y a celui, également impossible, d'un retour à la plénitude intra-utérine. Lacan, en héritier de Platon, Hegel et Freud, nommera cet obscur et inatteignable objet de notre désir « *objet petit a* ».

L'idée est toujours la même : désirer, c'est désirer l'impossible. Échouer à trouver la satisfaction, mais s'en trouver plus grands, plus créateurs, plus imaginatifs, plus vivants. Grâce à ce manque, grâce à l'échec répété de notre désir à se satisfaire, nous restons audacieux, inquiets, curieux, ambitieux. Bref humains. Si nous pouvions satisfaire ce désir, cette quête prendrait fin, notre créativité s'épuiserait. Nous serions satisfaits, sereins, mais d'une sérénité qui ressemblerait à la mort. Ne serait-ce pas le pire des échecs ?

« Désirer », d'après son étymologie latine, vient de « *desiderare* », que les astrologues et les augures romains distinguaient de « *considerare* ». « *Considerare* » signifiait contempler les astres pour savoir si la destinée était favorable. « *Desiderare* » voulait dire regretter l'absence de l'astre, du signe favorable de la destinée : « rechercher l'astre perdu ».

Cette définition du désir est magnifique. Elle dit ce que nous ressentons tous lorsque nous persévérons dans notre quête sans être jamais satisfaits, et éprouvons ce manque qui nous rend si vivants. Nous recherchons notre astre perdu. Peu importe qu'il se nomme éternité, reconnaissance ou plénitude intra-utérine. Ce qui importe est qu'il soit inaccessible.

Cette force du désir est sans doute ce qui nous sépare le plus nettement des bêtes. Des animaux, comme les mammifères supérieurs, ont une conscience, ressentent la douleur, ont peur de la mort, développent des comportements moraux et sont capables d'altruisme. Au fur et à mesure des avancées de l'éthologie, la science des comportements animaux, il devient de plus en plus difficile de définir le propre de l'homme. La frontière entre l'homme et l'animal devient de plus en plus poreuse. Mais aucune étude, à ce jour, n'indique que les animaux soient à la recherche de leur « astre perdu ». La différence homme-animal réside peut-être là. Les animaux ne consacrent pas leur vie à la poursuite d'un impossible. Nous, si. C'est même ce qui fait le sel de notre existence.

« *L'homme*, écrit Henri Bergson, *est le seul animal dont l'action soit mal assurée, qui hésite et tâtonne, qui forme des projets avec l'espoir de réussir et la crainte d'échouer.* »

En effet, il arrive aux animaux humains que nous sommes d'hésiter, mais c'est parce que nous sommes libres. De tâtonner, mais c'est parce que nous cherchons notre étoile.

16

Notre capacité de rebond est-elle illimitée ?

Depuis le début de notre travail, deux conceptions de la sagesse de l'échec s'affrontent.

Quand nous voyions dans l'échec une chance de rebondir, de se réinventer ou de se découvrir disponibles pour autre chose, nous étions dans une logique du « devenir ».

Et lorsque nous envisagions l'échec comme un acte manqué révélant la force d'un désir inconscient, ou comme une occasion de nous interroger sur nos aspirations essentielles, nous nous situions dans une logique de « l'être ».

Dans le premier cas, la sagesse de l'échec est existentialiste : échouer, c'est se demander ce que nous pouvons devenir. Dans le second, elle est psychanalytique : échouer, c'est se demander qui nous sommes, quel est notre désir profond, rencontrer quelque chose de sa vérité et essayer de l'analyser.

D'un côté Sartre, de l'autre Freud et Lacan.

Ces deux sagesses se sont opposées, souvent discrètement, tout au long de notre réflexion. Est-il d'ailleurs certain qu'elles soient exclusives l'une de l'autre ? Si nous radicalisons les positions, oui.

Pour Sartre, la question de « ce que je suis », de mon « essence » ou de mon « désir profond » est celle que je dois éviter. Le simple fait de me la poser m'inhibe, bride ma liberté. C'est parce que « je ne suis pas » que ma capacité de rebond est illimitée : il n'y aura de « *game over* » qu'avec la fin de mon existence. Je ne commencerai à « être » que le jour de ma mort, affirme Sartre : je n'aurai une « essence » qu'en devenant cadavre. D'ici là, le champ des possibles reste ouvert à l'infini.

À l'inverse, Lacan, contemporain de Sartre, considère que mon désir inconscient me constitue de manière essentielle. Il est, en moi, comme un destin : le résultat de mon histoire familiale, un axe autour duquel je ne peux pas ne pas tourner. Impossible donc de se renouveler à l'infini : je dois m'approcher de mon désir pour réussir à supporter ma vie.

Dans cette perspective, les échecs répétés de Michel Tournier à l'agrégation de philosophie sont des actes manqués, révélant un désir inconscient. De même la dépression de Pierre Rey ne peut signifier, pour un lacanien, qu'une infidélité à son désir, hérité de son histoire. Il n'a donc pu rebondir que dans la mesure où il a fini par entendre la vérité de son inconscient.

Face à cette opposition, différentes attitudes sont possibles.

Première option : choisir son camp, ce qui relève en fait d'une croyance. Croire en la liberté totale de Sartre ou au déterminisme de l'inconscient freudien. Prendre sa place dans ce qui fut le grand débat du XXe siècle, que j'ai mis en scène dans l'un de mes précédents livres, *Les Philosophes sur le divan*. J'y imaginais, dans un huis clos, la rencontre de Sartre et Freud : l'existentialiste se rend dans le cabinet du psychanalyste mais, une fois allongé sur son divan, nous comprenons que c'est pour lui prouver l'inexistence de l'inconscient…

Nous retrouvons aujourd'hui encore ce débat dans l'opposition entre thérapeutes comportementalistes et psychanalystes freudiens ou lacaniens. Les premiers estiment qu'il est vain, pour se remettre d'un échec, de s'allonger des mois ou des années sur le divan, et proposent différentes méthodes pour repartir d'un bon pied, changer ses représentations, apprendre à voir le verre « à moitié plein et plus à moitié vide », se « reprogrammer » vers le succès. Les seconds reprochent aux premiers d'être dans le déni de l'inconscient, de ne faire que déplacer le symptôme, et de condamner leurs patients à la répétition de scénarios d'échec. Les premiers misent sur des thérapies brèves, les seconds préviennent qu'il faut du temps pour cesser de se mentir.

Deuxième option : distinguer les âges de la vie. Préférer, vers 20 ans, une ivresse existentialiste. Attendre quelques années pour passer sur le divan et s'interroger sur son désir. Jeune, vivre ses échecs comme autant de moteurs pour avancer, de chances d'explorer des voies nouvelles. Plus tard, les utiliser comme occasions de revenir sur son histoire et de se demander : qui voulons-nous être ? Comment héritons-nous de ce que nous n'avons pas choisi ?

Au lycée, mes élèves ont entre 16 et 18 ans. Ils ouvrent de grands yeux lorsque j'évoque ce désir inconscient dont ils n'ont pas idée mais qui, venu de leur enfance, voire de leurs aïeux, les déterminerait. Si l'hypothèse les intrigue, ils n'ont pas vraiment envie d'en entendre parler. En revanche, rien ne les séduit plus que la vision sartrienne d'un possible infini, d'une liberté totale, angoissante mais responsabilisante. À l'inverse, lorsque j'interviens en entreprise, auprès de publics plus âgés, je vois combien la référence au désir trahi et la question de la fidélité à soi les touchent. Ils savent d'expérience à quel point l'idée sartrienne d'une liberté totale est un déni du réel.

Troisième option, la plus séduisante : tenter un dépassement de l'opposition. Essayer de se réinventer le plus possible, mais dans la fidélité à son désir. Utiliser les échecs, les bifurcations et les rebonds pour tenter de se rapprocher de son « axe » – de ce qui est, pour soi, l'essentiel. C'est exactement le sens du « *deviens ce que tu es* » nietzschéen.

Deviens : ne te laisse pas enfermer par tes échecs, fais-en des opportunités.

Ce que tu es : mais sans trahir ce qui compte vraiment pour toi, le désir qui te rend singulier.

À la fin de son séminaire intitulé L'Éthique de la psychanalyse, Jacques Lacan affirme : « La seule chose dont on puisse être coupable, au moins dans la perspective analytique, c'est d'avoir cédé sur son désir. » Quel est ce « désir » auquel il faut être fidèle ? La tentation serait de le fixer, de le transformer en une essence ou un destin. Mais nous pouvons aussi l'entendre comme le résultat, en nous, de notre histoire, de la manière dont nous avons vécu notre enfance, le refoulement de nos pulsions asociales, notre place dans la fratrie, dans le projet parental...

Être capables, à l'âge adulte, d'identifier qu'un désir plus important que les autres nous traverse, ce n'est pas forcément nous figer : c'est simplement affirmer que nous sommes « quelqu'un quelque part », l'héritier d'une histoire, et non pas « n'importe qui n'importe où », tel un héros ou un anti-héros existentialiste. Nous pouvons continuer de devenir autant que nous le voulons, mais « sans céder sur notre désir », sans trahir ce dont nous héritons.

La difficulté, ici, est de nommer désir cet héritage, d'accepter de définir notre désir par quelque chose que pour l'essentiel nous n'avons pas choisi. Occidentaux nourris au libre arbitre et à la conscience souveraine, nous résistons à cette idée. Pourtant, ce n'est que du bon sens. Nous sommes les enfants de notre enfance et, au-delà, d'une histoire qui se joue sur plusieurs générations. Comment penser qu'une telle histoire ne nous porte pas à être celui ou celle que nous sommes, ne nous conduise pas à une aspiration primordiale ? Cela ne nous épingle pas pour autant un destin dans la peau.

Les grands fondateurs, affirmait déjà Nietzsche, sont ceux qui assument pleinement qu'ils sont d'abord des héritiers. Les autres gaspillent tant d'énergie à se cacher ce qu'ils sont qu'ils n'en ont plus assez pour continuer de devenir. Une fois que nous savons d'où nous venons, que nous prenons la mesure de tout ce dont nous héritons, il nous reste encore la liberté de danser autour de notre axe, de nous renouveler dans la fidélité à ce que nous ne pouvons pas changer. Il faut connaître le sol pour pouvoir y planter un arbre qui grandisse. Nos échecs peuvent nous aider à connaître la nature de ce sol. À nous d'en prendre acte, et d'apprendre à danser.

Contrairement à ce qu'affirment certains thérapeutes, notre capacité de rebond n'est pas infinie. Mais si nous savons rester fidèles à ce qui compte pour nous, elle demeure grande. Qu'on repense aux exemples de Charles de Gaulle, Barbara, Richard Branson ou David Bowie. Au cœur des échecs comme des succès, c'est en restant fidèles à leur quête, en dansant sur leur axe, qu'ils ont réussi. David Bowie a changé de visage, de personnage, de genre, s'est réinventé en même temps que sa musique, mais il est resté fidèle à son exigence. Non pas à son « identité », ni à son essence, mais à son projet, à son manque. À son étoile. C'est ce que nous reconnaissons et aimons tant en lui. Quelque chose dans sa voix, quels que soient les périodes et les albums, dit cette fidélité.

Nous sommes d'autant plus libres que nous savons à quoi nous aspirons. Identifier notre quête, ce sur quoi nous ne devons pas céder, nous rend à la fois moins libres et plus libres. Moins libres : tout n'est plus possible. Plus libres : nous serons meilleurs en restant « sur notre axe », fidèles à notre désir.

Deux directions philosophiques donc, mais une seule sagesse de l'échec : celle qui nous ouvre à notre liberté au cœur même des limites.

Conclusion

Le mot « échec » viendrait de l'arabe « *al cheikh mat* », qui a donné « échec et mat » et signifie « le roi est mort ».

J'ai écrit ce livre pour montrer le contraire : lorsque nous échouons, le roi en nous ne meurt pas. Il se peut même qu'il prenne conscience de sa puissance à cette occasion. Les grands rois le deviennent au combat, lorsqu'ils se surprennent eux-mêmes et se révèlent aux autres. L'échec n'est certes pas agréable. Mais il ouvre une fenêtre sur le réel, nous permet de déployer nos capacités ou de nous rapprocher de notre quête intime, de notre désir profond : le roi est blessé, vive le roi !

Cette origine arabe est discutée. « Échec » pourrait venir aussi du persan « *sha mat* », signifiant « le roi est étonné ». Il y a en effet de quoi être intrigués, émerveillés parfois, par ce que provoquent nos échecs, tant notre faculté de rebond est grande, tant nos ratés ont ce pouvoir de nous rapprocher des autres et de nous-mêmes, de nous dessiller les yeux. Il faut avoir échoué pour comprendre ce qu'il y a d'intense dans la simple joie de vivre, et de miraculeux dans la beauté du monde.

Mais le mot « échec » viendrait peut-être, plus simplement, du vieux français, « eschec », terme apparu au XIe siècle et qui désigne le butin. Le butin est ce qu'une armée prend à l'ennemi, le produit d'un vol, ou la récolte d'un botaniste : dans tous les cas, il est un signe de victoire. Il est tentant de croire à cette étymologie, car c'est elle qui nous guide le mieux vers la sagesse de l'échec.

Nos échecs sont des butins, et parfois même de véritables trésors. Il faut prendre le risque de vivre pour les découvrir, et les partager pour en estimer le prix.

ANNEXES

If
Rudyard Kipling

Si tu peux voir détruit l'ouvrage de ta vie
Et sans dire un seul mot te mettre à rebâtir,
Ou perdre en un seul coup le gain de cent parties
Sans un geste et sans un soupir ;

Si tu peux être amant sans être fou d'amour,
Si tu peux être fort sans cesser d'être tendre,
Et, te sentant haï, sans haïr à ton tour,
Pourtant lutter et te défendre ;

Si tu peux supporter d'entendre tes paroles
Travesties par des gueux pour exciter des sots,
Et d'entendre mentir sur toi leurs bouches folles
Sans mentir toi-même d'un mot ;

Si tu peux rester digne en étant populaire,
Si tu peux rester peuple en conseillant les rois,
Et si tu peux aimer tous tes amis en frère,
Sans qu'aucun d'eux soit tout pour toi ;

Si tu sais méditer, observer et connaître,
Sans jamais devenir sceptique ou destructeur,
Rêver, mais sans laisser ton rêve être ton maître,
Penser sans n'être qu'un penseur ;

Si tu peux être dur sans jamais être en rage,
Si tu peux être brave et jamais imprudent,
Si tu sais être bon, si tu sais être sage,
Sans être moral ni pédant ;

Si tu peux rencontrer Triomphe après Défaite
Et recevoir ces deux menteurs d'un même front,
Si tu peux conserver ton courage et ta tête
Quand tous les autres les perdront,

Alors les Rois, les Dieux, la Chance et la Victoire
Seront à tout jamais tes esclaves soumis,
Et, ce qui vaut mieux que les Rois et la Gloire
Tu seras un homme, mon fils.

Les livres qui ont fait ce livre

André Agassi, *Open* (J'ai Lu)
Alain, *Propos sur le bonheur* (Folio)
Hannah Arendt, *Condition de l'homme moderne* (Pocket)
Gaston Bachelard, *La Formation de l'esprit scientifique* (Vrin)
Samuel Beckett, *Cap au pire* (Éditions de Minuit)
Henri Bergson, *L'Énergie spirituelle* (Payot), et *La pensée et le mouvant* (PUF)
Patrick Boucheron, *Leçon inaugurale au Collège de France* (Fayard)
David Buckley, *David Bowie, une étrange fascination* (Flammarion)
Albert Camus, *Discours de Suède* (Folio)
Emmanuel Carrère, *Le Royaume* (P.O.L)
René Char, *Les Matinaux* (Poésie Gallimard) et *Feuillets d'Hypnos* (Folio)
Winston Churchill, *Mémoires de guerre* (Taillandier)
Cioran, *De l'inconvénient d'être né* (Folio)
Corneille, *Le Cid* (Pocket)
Charles Darwin, *Journal de bord du voyage sur le Beagle* (Jacqueline Champion)
Descartes, *Discours de la méthode, Lettre au marquis de Newcastle* et *Principes de la philosophie* (Œuvres complètes, « Tel » Gallimard)

Einstein, *Comment je vois le monde* (« Champs » Flammarion)
Évangile selon saint Matthieu, La Bible. Traduction de Louis Segond
Fichte, *Fondements du droit naturel* (PUF)
Freud, *Essais de psychanalyse* (Payot) et *Malaise dans la civilisation* (PUF)
Charles de Gaulle, *Mémoires de guerre et Mémoires d'espoir* (Plon)
Julien Gracq, *Un beau ténébreux* (José Corti)
Philippe Hayat, *L'Avenir à portée de main* (Allary Éditions)
Héraclite, *Fragments* (PUF)
G.W. E. Hegel, *Phénoménologie de l'Esprit* (Folio)
Eugen Herrigel, *Le Zen dans l'art chevaleresque du tir à l'arc* (Dervy)
Friedrich Hölderlin, *Patmos* (Œuvres, Pléiade)
Emmanuel Kant, *Critique de la raison pratique* (Folio)
Rudyard Kipling, *Tu seras un homme mon fils* (Mille et une nuits)
Jacques Lacan, *Écrits* (Points Seuil) et *L'Éthique de la psychanalyse* (Éditions de l'Association freudienne internationale)
Marc Aurèle, *Pensées pour moi-même* (Garnier-Flammarion)
Montaigne, *Essais* (Folio)
Rafael Nadal et John Carlin, *Rafa* (J'ai Lu)
Nietzsche, *Ainsi parlait Zarathoustra* (Le Livre de poche), et *Seconde Considération intempestive* (Garnier-Flammarion)
Claude Onesta, *Le Règne des affranchis* (Michel Lafon)
Marcel Proust, *À l'ombre des jeunes filles en fleurs*, manuscrit conservé à la BNF
Pierre Rey, *Une saison chez Lacan* (Points Seuil) et *Le Désir* (Pocket)
Mathieu Ricard, *Plaidoyer pour les animaux* (Allary Éditions)
Clément Rosset, *La Force majeure* (Éditions de Minuit)

Jean-Jacques Rousseau, *Discours sur l'origine et les fondements de l'inégalité parmi les hommes* (Garnier-Flammarion)
Jean-Christophe Rufin, *Immortelle Randonnée, Compostelle malgré moi* (Folio)
Saint Augustin, *Les Confessions* (Folio)
Jean-Paul Sartre, *L'existentialisme est un humanisme* (Folio), *L'Être et le Néant* (« Tel » Gallimard) et *La Nausée* (Folio)
Sénèque, *De la brièveté de la vie* (Garnier-Flammarion)
Barüch Spinoza, *Éthique* (Garnier Flammarion)
Michel Tournier, *Le Roi des Aulnes* (Folio) et *Vendredi ou la vie sauvage* (Folio)
Lao-tseu, *Tao-tö-King, Le Livre de la Voie et de la Vertu* (Folio)
Mark Twain, *Les Aventures de Huckleberry Finn* (Garnier-Flammarion)

Tables des matières

ANNEXES

Cet ouvrage a été composé et mis en page
par PCA, 44400 Rezé

Imprimé en France par CPI
en juillet 2021
N° d'impression : 3044225

Pocket – 92 avenue de France, 75013 PARIS

S28542/07